JN059007

神山 地域再生の教科書

篠原匡

Shinohara Tadashi

ダイヤモンド社

プロローグ

その日、静かな山あいの町は、どこか浮ついた空気が漂っていた。

2023年4月2日、徳島県神山町では、とある学校の入学式が開かれていた。木の香りが漂う真新しい円形講堂には、北は北海道から南は沖縄まで、全国から集まった44人の若者が座っている。

その学校は、2022年8月に設置認可を受けたばかりの新設校。しかも、「デザイン・エンジニアリング学科」だけの単科高専（高等専門学校）で、ソフトウェアやAI（人工知能）の情報工学をベースに、デザインや起業家精神について学ぶという、少し変わった学校だ。目指す学生の姿は「モノをつくる力で、コトを起こす人」。

今の時代、プロダクトを生み出すには、ソフトウェアのようなITスキルだけでなく、デザインの力が欠かせない。そのプロダクトをサステナブルなビジネスにつなげるには、テクノロジーとデザインに加えて、コトを起こす力、言い換えれば起業家精神が必要になる。評論家然として語るだけではなく、実際に手を動かすことで社会を変えていく。そんな〝野心〟を持った若者を育成する学校である。

その学校の名前は「神山まるごと高専」。神山に誕生した新しいプロジェクトだ。

消滅するかもしれない町に誕生した奇跡の学校

13時に始まった入学式。その冒頭で開校を宣言した寺田親弘（ちかひろ）は、未知の学校に飛び込んだ若者に語りかけた。

「たった一人の野心が世界を変えていく。みんなの野心がやがて世界を動かします。モノをつくる力で、コトを起こしましょう」

神山まるごと高専を運営する学校法人神山学園の理事長を務める寺田は、東証プライムに上場する営業ＤＸサービスSansanを創業した現役経営者。おいおい書いていくが、神山で高専プロジェクトを仕掛けた張本人である。

２０１４年、日本創成会議では「２０４０年までに全国の市町村の半数が消滅する可能性がある」というレポート（通称「増田レポート」）を発表した。

この「増田レポート」で、消滅可能性都市の一つに数えられたのが、神山町だ。

そんな町に、全国で約20年ぶりの高専が新規開校するなど、普通に考えればあり得ない。そのあり得ないことが現実に起きたのは、教育に対する寺田の想（おも）いと、寺田に共鳴した人々の想いが雪だるま式に膨らんだためだ。

入学式では神山町長など関係者の祝辞の後、一期生44人によるプレゼンテーションが行われた。プレゼンテーションのテーマは「5年後、どんなモノをつくる力で、どんなコトを起こしたいか」。入学時点における学生たちのコミットメントである。

もっとも、イベント一つにも意味を込めるのが、神山まるごと高専流。プレゼンの存在を新入生に伝えたのは、入学式の前日の夕方だった。

入学式前日の夕方というギリギリのタイミングで伝えたのは、限られた時間の中で自分の考えを絞り出すという狙いがあったようだ。

ひとたび社会に出れば、日々、決断を下さなければならない場面に直面する。中にはデッドラインが決まっているものもあり、十分な時間が取れない局面もしばしばだ。その状況で最善を尽くす。それが生きるということの一つの現実である。

そして入学式前夜。

学生は自分たちが考えたプレゼン内容を8つのカテゴリーに分類。実際の入学式では、『「どうせむり」をなくす』「ケアロボットをつくる」「自律神経を整えるナイトケアキャップの開発」「不登校の子どもの選択肢を増やす」など、彼ら彼女らが感じている社会課題について、自身の目標を30秒ずつ発表した。

もちろん、ここで発表したものは今の目標であり、5年間の高専生活で内容は変わっていくだろう。

だが、プレゼンを聞いた寺田が「正直、負けてはいられないと思いました」と漏らしたように、若者には、社会に擦れていないがゆえの自由な発想がある。彼らの自由な発想と「コトを起こす力」が融合すれば、きっと世の中はおもしろくなるはずだ。

そんなプレゼンの後には、校歌の発表と、学生と保護者の間で手紙を読み上げるという胸が熱くなるイベントがあった。

校歌は作詞がUA、作曲が坂本龍一。坂本龍一に関しては入学式終了後の夜、高専の関係者に訃報が伝えられた。病魔と闘う中でつくり上げた、文字通りの遺作である。

手紙の読み上げも、自分の将来に対する期待と不安がない交ぜになった若者と、子どもを送り出す親の想いが交錯した熱量の高いイベントで、取材の一環として聞いているこちらの涙腺がゆるむような内容だった。

「高専設立」というビッグプロジェクトは入学式のこの日まで。ここからは学生と学校の未来を紡ぐ日々が始まる。

10年ぶりに、神山の沼にはまった

私は10年ほど前、「日経ビジネス」という経済誌の記者時代に『神山プロジェクト』(日経BP)という書籍を書く機会に恵まれた。当時の神山は、都会のスタートアップ企業がサテライトオフィスを開設し始めた時期。そのため、「なぜ神山に人が集まるのか」という問いを切り口に、神山に移住した人々や神山のまちづくりを主導したNPO法人グリーンバレーについて詳しく記した。

その後、2015年1月から「日経ビジネス」のニューヨーク支局に赴任したこともあり、神山の存在はすっかり忘れていた。

ところが帰国後、神山まるごと高専の設立会見に誘われたため、久々に神山に足を運ぶと、知らない店や施設が増えていた。私が取材した時も新しい拠点が生まれていたが、それ以上に進化した神山の姿があった。

そして、高専の設立プロジェクトの節目節目で神山を訪れるようになった私は、本書を書くため、本格的に神山に足を運び始めた。

そのたびに、神山で生まれる大小様々のプロジェクトや魅力的な人々、そういう人々を呼び込む神山の奥深さに惹(ひ)きつけられていった。他の移住者がはまったように、私も神山の沼にはまっていった。


今、神山は神山まるごと高専の開校に人々の耳目が集まっている。だが神山において、高専は数あるプロジェクトの中の一つに過ぎない。

サテライトオフィスの存在も有名だが、サテライトオフィスも、移住するエンジニアやクリエイターも、神山を構成する一部でしかない。

高専やサテライトオフィスが人を集める磁力として機能しているのは事実だが、神山で起きているダイナミズムはそれ以外のところにある。その多様性が、神山をおもしろく、また魅力的な場所にしている。

本書では、新たに誕生した神山まるごと高専をフックに、なぜ神山ではプロジェクトが次々と生まれるのか、なぜ神山にはおもしろい人が続々と集まるのかという点について考えていく。

神山を通して日本の未来と働き方を探る

本書では、地域再生の成功モデルと称される神山で起きていることを、私の視点で描く。神山をテーマにしているため、地域再生的な文脈で本書を捉える向きも多いだろう。ただ、神山で起きているのはゼロイチで生み出されるプロジェクトの連鎖。そう考えると、企業経営や起業にも役立つヒントがあるはずだ。

また、神山で起きているのは、移住者や多拠点生活を送る人々による新しい働き方であり、新しい生き方でもある。これは、これからの時代を先取りしたものだ。

その意味において、神山の物語はプロジェクトをいかに生み出すかという話であり、プロジェクトが生まれる土壌をどのように耕すかという話であり、これからの時代をどう生きるかという話でもある。

神山の高齢化率は50%を超えており、人口は年々減少している。移住者の流入している神山であってもこの状況だ。過疎化が進む他の地域は、さらに厳しい状況に直面している。その中でどうやって町や地域を盛り立てていくのか。神山というケーススタディは、そういった課題に対する一つの解になると考えている。

さて、能書きはここまでにして、まずは神山まるごと高専がいかにして生まれたのか、その物語を描いていこう。

『神山　地域再生の教科書』

CONTENTS

※本書の内容、肩書きや数字は2023年4月初旬時点のもの。本文は敬称略。

プロローグ

第1章

「奇跡の学校」はなぜ誕生したか？

第2章

プロジェクトが続々と湧き出る神山の秘密

第3章 プロジェクトをブーストした官と民のコラボレーション

第4章

「入り口の多様性」が生み出す地域の多様性

第5章

どこにでもあった田舎が「神山」になった理由

エピローグ

動画「ニッポン辺境ビジネス図鑑～徳島・神山町編～」

経済動画サービス「テレ東BIZ」内の「ニッポン辺境ビジネス図鑑～徳島・神山町編～」では、著者が本書で取り上げた人々に取材をした動画をご覧いただけます。本書と併せて視聴すれば、神山町に対する理解がさらに深まります。

第1章

「奇跡の学校」はなぜ誕生したか？

入学式の翌日、朝8時40分過ぎに神山まるごと高専の寮の前を通ると、校舎に向かう学生たちの姿があった。既に仲のいいグループができているのか、数人の固まりになった学生が続々と寮を出て行く。

新入生が親元を離れて入寮したのは入学式の前日の4月1日。

中学校の校舎をリノベーションした学生寮には、職員室の黒板や立て付けの悪い引き戸など、校舎だった頃の痕跡がそこかしこに残っている。教室を間仕切りした学生寮も、窓枠や天井などをよく見れば、学校の校舎である。

「寮生活は初めてで不安もありますが、友達と一緒に過ごすのは楽しみです。あとは川で遊びたい」

ある新入生は新生活について、こう語っていた。

彼らが暮らす寮から校舎までは距離にして500メートルほど。これから卒業するまで、彼らはこの道を幾度となく往復することになる。

コンセプトは「テクノロジー×デザイン×起業家精神」

今回、誕生した神山まるごと高専とは、どのような学校なのか。

まず、前提として挙げられるのは、いわゆる普通高校や工業高校とは異なるという点だ。

高専とは高等専門学校の略で、5年間の一貫教育を提供する高等教育機関。中学卒業後に進学するという点では普通高校と変わらないが、大学や専門学校などと同様の位置づけだ。

深い教養と専門知識を身につけた技術者を育成することが主眼のため、授業数は多く、普通高校と短大を合わせた授業数を上回る。商船や経営などを教える高専も存在するが、多くの場合、学科は機械や材料、情報、電機、建築などの理系分野が中心だ。

座学に加えて、実験や演習など専門的かつ実践的なカリキュラムが組まれているため、高専生に対する企業の評価はすこぶる高く、高専生の就職希望者の就職率はほぼ100%と言われている。

一方で、高専の数は少なく、全国に57校（国立51、公立3、私立3）を数えるだけ。高専全体の入学定員も1万人を少し超える程度だ。

ここまでが一般的な高専の特徴だが、神山まるごと高専には、これまでの高専と大きく異なる点もある。

それは、「デザイン・エンジニアリング学科」のみの単科高専であり、ソフトウェアやAIなどの情報工学をベースに、デザインや起業家精神についても学ぶというところだ。

こうした特徴は、カリキュラムにも見てとれる。

5年間の総授業数のうち、国語や英語、数学などの一般科目は40%、プログラミングをはじめとした情報工学が30%、プロダクトデザインやUI/UX（※）、デザイン思考や課題発見などのデザイン関連が15%、課題解決やリーダーシップ、チームワークなどを学ぶ起業家精神が15%。高専の特徴である演習や実習、PBL（Project Based Learning：課題解決型学習）、アクティブラーニング（能動的学習）などの要素もふんだんに取り入れられている。

※UIはユーザーインターフェースの略で、サイトやアプリのデザインなどユーザーの視界に入るすべての情報、UXはユーザーエクスペリエンスの略で、ユーザーが製品やサービスを利用して得られる体験のこと。UI/UXの巧拙は製品やサービスの利用や継続に大きく関わる。

授業は90分1コマで午前2コマ、午後2コマの計4コマ。30週の2学期制で、まさに大学である。

授業内容の比率は5年間の話であり、4年生、5年生と学年が上がるにつれて授業の余白が大きくなっていく。その余白では、企業との共同研究や卒業研究、学生によってはインターンや起業などに取り組むことになる。現時点で思い描く卒業生の進路は、起業が40%、就職が30%、大学進学が30%だという。

なぜ現役の起業家が高専をつくろうと思ったのか

神山まるごと高専がデザインや起業家精神を重視しているのは、学校法人神山学園の理事長を務める寺田親弘の想いが色濃く反映されているからだ。

寺田は、東証プライム市場に上場する営業DXサービスSansanの創業経営者で、今回の高専プロジェクトの言い出しっぺでもある。

一般的に、教育の世界に乗り出す人は功成り名を遂げた人物というイメージが強く、現役バリバリの経営者が学校をつくったという話はあまり聞いたことがない。その経営者が40代半ばだと聞けば、なおさらだ。

それにもかかわらず、寺田が高専を立ち上げたのは、教育や人材育成に関して以前から強い関心を持っていたからだ。

「『学校をつくる』というアイデア自体は、２０１０年10月にSansanが神山に進出した時に聞いていました。Sansanの株式上場を終えたら、個人のプロジェクトとして教育をやりたい、と。その時は『そうなったらええなあ』と思っただけですが、こうして実現するんだから、すごいよな」

移住者支援などを手掛けるＮＰＯ法人グリーンバレーの理事長（当時）としてSansanの誘致を主導した大南信也は振り返る。

そう言う私も、10年前に神山で寺田と飲んだ時に、教育について熱く語る寺田の姿を見た。教育に対する想いを熾火（おきび）のように持ち続けていたのは間違いない。

その根底にあるのは、従来の教育にある違和感であり、大きな可能性だ。

神山まるごと高専が生み出す波及効果

寺田がSansan（当時の社名は三三）を起業したのは2007年6月のこと。「名刺」というビジネスの出会いを組織の資産に変え、働き方を革新する——。そんな未来を描き、新卒で入った三井物産を飛び出した。

三井物産のような堅い組織を飛び出す決断ができたのは、父親も起業家であり、起業に対する抵抗がなかったからだろう。

「僕は起業家としてやっているけれども、教育の内側、つまり義務教育や高校、大学での教育を通して起業や経営を習ったことはほぼありません」

そう語るように、寺田が経営を学んだのは三井物産の仕事を通してであり、Sansanの経営を通してである。

これを教育の内側でできれば、日本に起業家がもっと生まれるのではないか——。

そんな問題意識が、寺田の中にはあった。

「今回の高専についても、『高専っておもしろいよね。起業家教育を教育の内側でやった方がいいよね。テクノロジーはデザインと一体にならなければ、モノをつくる力は育たないよね。モノだけでなく、コトを起こさなければ起業にはつながらないよね』といったコンセプトをぎゅっとまとめて神山で高専をつくれば、成立するんじゃないか。そういうところから始まりました」

従来の教育に対するアンチテーゼとして生まれた学校はいくつも存在する。

それでも、「消滅可能性都市」の一つに数えられた人口5000人にも満たない神山町に、約20年ぶりに高専が新規開校するなど、普通に考えればあり得ないことだ。

そのあり得ないことが実現したとなれば、関係者が「奇跡」と叫ぶのも大げさではない。


町に対するインパクトも極めて大きい。

2023年春に入学した1年生は44人。規定では1学年40人のため、全学年がそろう2027年春には高専生は200人を超える。これは町の人口の約4％に相当する、16歳～20歳の若者が町に流入するということを意味する。

これまで神山の若者は、中学を卒業すると徳島市内の高校に進学し、寮生活を送ることが多かった。高校進学とともに町を出ていたわけだが、今回の高専開設によって、常時200人の若者が町に流入する。このインパクトは、過疎の町にとっては特大だ。

波及効果も当然、期待できる。

高専生は寮暮らしで三食ともに寮で出されるが、教師を含め、200人を超える消費は、小さな町では無視できない大きさになる。

しかも毎週水曜日の夜に、ビジネスの一線で活躍する現役起業家が2人1組となり、校舎で授業を行う「Wednesday Night」も開催される。

企業の経営者が高専を訪れれば、お付きの同行者も来る。神山まるごと高専の話題性を考えれば、神山を視察に訪れる人が増えるのも間違いない。

さらに、卒業生の存在だ。

神山まるごと高専に集う学生は、中学3年生というタイミングで、起業家教育を謳う高専に進もうと決断した若者である。在学中、あるいは卒業後に起業家として活躍する人材は当然、生まれてくるだろう。起業はしないとしても、社会の様々な分野で活躍する卒業生もたくさん出てくるはずだ。

神山まるごと高専の「まるごと」には、キャンパスを飛び出し、自然と人の温もりにあふれた神山での暮らしを通して生きる力を育むという意味が込められている。

10代後半という多感な時期を過ごした神山と、卒業後もつながりを持ち続ける卒業生は少なからず生まれるだろう。

そんなつながりは、人口減少に直面した地方の町にとってかけがえのない財産である。

余談だが、学生寮で三食の食事が出るのは、月曜〜金曜の平日だけで、週末は出ない。ではどうするのかというと、自分でつくるか、何かを買いにいくか、町の人のところでごちそうになるかだろう。学生が地域に積極的に出て行く仕掛けである。

原風景にあったシリコンバレーの姿

「最初に話を聞いた時は本当に素晴らしいと思って、ダボハゼのように食らいつきました。この話に乗らない地方の首長はいないですよ」

神山町の町長（当時）、後藤正和が冗談めかして語るように、自ら誘致したのではなく、民間サイドから「ここでやりたい」と勝手に上がってきた提案である。確かに、こんな幸運は滅多にない。

それでは、なぜ神山だったのか。その答えはおいおい書いていくとして、高専構想を言い出した寺田と神山の関係は、寺田が神山にSansan のサテライトオフィス「Sansan 神山ラボ」を開設した２０１０年10月にさかのぼる。

今でこそサテライトオフィスは日本の各地に存在するが、２０１０年当時、サテライトオフィスは決して一般的ではなかった。現に、神山はサテライトオフィスの先駆者とも言える自治体だが、その神山のサテライトオフィス第一号はSansan である。

寺田がSansan 神山ラボを設立したのは、自身が三井物産時代に赴任したシリコンバレーでの経験が基になっている。

「向こうの連中はとにかくよく働くのに、はたから見ているとあまりハードに働いているようには見えない。なぜだろうと思って見ていると、シリコンバレーの環境と働き方が大きいと気づいたんです」

米国の西海岸、サンフランシスコの南に位置するシリコンバレーは自然豊かな土地柄。しかも働き方や時間の使い方は、基本的に社員の裁量に任されている。あの豊かな自然と自由な働き方、それが社員の心のゆとりや創造性に影響を与えていると寺田は感じた。

ところが、2002年に帰国してみると、日本のビジネスパーソンは満員電車に揺られて会社に行き、パソコンに向かって帰るだけの生活である。

「まさに額に汗して……という労働観を地で行く感じ。『それってどうなのよ』と思ったのがそもそもの始まり」

この時は、あくまでも新しい働き方を模索するためのラボであり、本業に悪影響が出るならいつでも閉じるというスタンスだった。

神山まるごと高専が生まれたきっかけ

だが、寺田は企業経営だけでなく、教育についても強い想いがある。

そして、神山をたびたび訪ねるうちに、新しい教育を実践する学校をつくるのであれば、神山が最もふさわしい場所なのではないかと思うようになった。

神山は何の変哲もない田舎だが、一皮めくれば、生命力にあふれたスキルフルなおじさんやおばさん、起業家精神にあふれた移住者が大勢いる。

事実、地元住民や移住者が始めた取り組みを挙げれば、枚挙にいとまがない。

大南が地元の仲間と立ち上げたグリーンバレーは、国際的なアート・プロジェクト「神山アーティスト・イン・レジデンス（ＫＡＩＲ）」を筆頭に、サテライトオフィスの誘致支援、住民主体の道路清掃活動「アドプト・ハイウェイ・プログラム（※）」などに取り組む地域創生のパイオニア的な存在だ。

そのグリーンバレーを筆頭に、シャクナゲやヒメシャガをはじめ各地に自生する希少な高山植物を集めた植物園「岳人の森」、神山の各所にしだれ桜を植えている「神山さくら会」、人形浄瑠璃の上演と保存を進める「寄井座」、各地区のまちづくり実行委員会など、様々な町民がそれぞれのやり方で神山を盛り上げている。

※国道沿いの一定区間を住民団体や企業などが行政に代わって清掃するプログラムのこと。道路には、その区間を受け持つ団体や企業の名前が記された標識が立っている。ちなみに、アドプト（adopt）とは「～を養子にする」という意味で、受け持ちの区間を養子に見立て、我が子のように愛情を注いで面倒を見るという意味で用いられる。

もちろん、移住者も同様だ。

築１５０年の元造り酒屋を改装した「カフェ・オニヴァ（現・Ｂ＆Ｂオニヴァ＆Experience）」や神山スギを活用した器などを開発する「しずくプロジェクト」、若者のキャリア教育を手掛ける「神山塾」など、移住者や神山に縁のある人たちがそれぞれの想いを込めてプロジェクトを進めている。

実のところ、寺田が高専プロジェクトを進めることができたのも、寺田の想いに共感し、プロジェクトを支えた人々が神山にたくさんいたからだ。

神山は、表面的にはただの〝辺境〟だが、中には豊富なリソースがあり、とてつもなくクリエイティブである。

そういう神山の本質に気づいたからこそ、寺田は学校をつくるのであれば神山、逆に神山でなければつくる意味がないと思うようになったのだ。

「これが渋谷高専や品川高専、軽井沢高専では、誰も見向きもしなかったと思う。自然しかない神山で、テクノロジー、デザイン、起業家精神を育む学校をつくるというアングルが世の中に対して芯を食ったと感じています」。寺田はそう語る。

「将来、ここが神山バレーになるかもしれんな」

もう一つ、神山ラボを開設する時に大南が放った一言も、神山で学校をつくろうと思ったきっかけだ。

Sansan神山ラボを立ち上げる際に、大南はラボの前で寺田にふと漏らした。

「将来、ここが神山バレーになるかもしれんな」

そして、寺田にこう語りかけた。

「スタンフォード大学のそばにあるパロアルトの、アディソン通り367番地に何があるか知ってますか?」

「いや、知りません」

「そこには、ヒューレット・パッカードのガレージがあるんよ。そのガレージは『シリコンバレー発祥の地』と呼ばれていて。もし神山バレーができれば、ここに『神山バレー発祥の地』と書いた看板をかけないかんな」

当時、神山で「大南組」という土木系の建設会社を経営していた大南。会社の事業内容はドメスティックだが、大南自身は1979年に米スタンフォード大学大学院を修了しており、シリコンバレーと、シリコンバレーにおけるスタンフォード大学の意味をよく分かっていた。

大南がスタンフォード大学大学院に在籍していたのは1977年から1979年にかけて。米アップルのパソコン「Apple II」が発売されるなど、シリコンバレーが半導体の拠点から世界のIT産業の中心地として離陸し始める、まさにその時である。

大南は、この時代の転換点に、スタンフォード大学に集まる世界の才能がシリコンバレーの企業や研究所に流れ込み、研究開発を進めていくというエコシステムを目のあたりにしていた。

地元の仲間と設立した神山町国際交流協会をNPO法人に改組した時に、「グリーンバレー」という名前にしたのも、シリコンバレーを意識していたからにほかならない。

もちろん、世界中の頭脳が集まるシリコンバレーのような産業集積が神山にできるとはさすがに考えていなかっただろうが、様々なバックボーンを持つ人が集まり、多様性の中で新しいものを生み出していくというエコシステムがシリコンバレーの本質であるということは理解していた。そんなエコシステムは神山でもつくれるはずだ。

「神山にシリコンはないが、グリーンは山ほどある。だからグリーンバレーという名前にしてな」と大南は語る。


時代こそ違えど、寺田もシリコンバレー駐在時代に、スタンフォード大学を核にしたシリコンバレーのエコシステムを肌で感じていた。

ただでさえ多様な人材が集まる神山に、「ミニ・スタンフォード」のような存在があれば、人を呼び寄せる神山の磁力はさらに強くなる。

そう感じていたからこそ、神山に高専をつくればおもしろいと感じたのだろう。

言うなれば、神山を神山バレーにするという大南の夢に、寺田も乗ったのだ。

神山で高専プロジェクトが始まったのは、教育に関心を持つ起業家が神山に来て、神山の潜在力に触れたためだ。

その意味では一つの偶然に過ぎないが、その偶然を起こすために、グリーンバレーは様々なプロジェクトを通して神山の多様性を深めてきた。

そう考えると、神山で高専プロジェクトが生まれたのは必然だとも言える。

Sansanの経営よりも10倍大変だった学校づくり

もっとも、実際の学校づくりは大変だった。Sansanを創業し、株式上場させた経験を持つ寺田をして、「スタートアップよりも難易度が高い」と言わしめたほどだ。

実際、高専をつくる過程では、スタートアップの創業期のようなドタバタ劇が繰り広げられた。

２０１０年の神山進出時、既に教育に対する夢を語っていた寺田。

だが、当時はSansanを成長させることに全神経を注いでいた時期である。この時はあくまでも夢であり、将来の漠然とした目標だった。

その夢が実際に動き始めたのは、大南に寺田からのメッセンジャーが届いた２０１６年１月のこと。メッセンジャーには、こう書かれていた。

「将来の野望の一つに神山で学校をやるというのがあって、その糸口を探したい」

すぐに二人は神山にふさわしい学校はどんな学校かを議論し始める。そして同年10月、高専がよさそうだという結論に達した。

中学卒業後、大学受験をすることなく5年間勉強できるという仕組みを現代風にアップデートできれば、おもしろいものになりそうだという話である。

ただ、当時の大南も学校設立はあくまでも寺田の夢であり、どこまで本気なのか測りかねていたところがあった。

ところが、寺田は本気も本気、大真面目だった。

「その年の12月に東京で寺田さんと会うことになって。夜の食事をセットしてくれたんですが、本人が遅れてきたんです。どうしたのかなと思ったら、金沢の国際高専を見に行っていたと言うんやね。初めは若手経営者の夢かなと思っていたけど、これは本気やな、と。それからは腹を括って役場に何度も足を運びました」


本腰を入れた大南は役場と内々に話を始める。用地の問題を含め、役場と歩調を合わせなければ実現できないと考えたためだ。ただ大南は役場が乗ってくるか半信半疑だったという。

「だって、リスクがめちゃめちゃ大きいじゃないですか。文科省の認可を得るのが相当なハードルだということは分かっていたから。でも、役場の反応が想像以上によくて、逆に驚いた」

その後、神山町を含めて内部で検討を重ね、2018年8月キックオフミーティングを開催。それから1年近く経った2019年6月21日に記者会見を開き、神山まるごと高専設立準備委員会を立ち上げた。

会見当時は何も決まっていなかった

この会見で、大南や神山町長（当時）の後藤とともに登壇した寺田は、神山まるごと高専の設立と、2023年4月の開校を高らかに宣言した。

だが、司会進行役を務めたSansanの小池亮介に聞くと、この段階では「高専をつくる」ということ以外、何も決まっていない状況だったという。

AI、統計データ、デザインシンキングなどのワードがちりばめられた当時の発表資料を見ても、神山というエキサイティングな地域を舞台に、世界に変化を起こせる若者、主体的に学び実践することのできる若者を育成する――という程度のことしか書かれていない。

構想をぶち上げ、走りながら肉付けしていくという点でいえば、まさにアジャイル（※）であり、ベータメンタリティ（※）であり、スタートアップの経営そのものだが、見方を変えれば「見切り発車」でもある。

※アジャイルとは、設計・実装・デプロイ（サービス展開）を短期間に繰り返す開発手法。ベータメンタリティとは、不完全でもいいので世に出す姿勢のこと。

実は、この会見の2日前に、寺田はSansanを東証マザーズ（当時）に上場させた。

その余勢を駆って高専設立をぶち上げたのではないかとも思えるが、実際には2023年

4月の統一地方選挙で町長が代わる可能性や議会の日程などを逆算して、2019年6月21日というタイミングを選んだという。

だが、その後の経緯は文字通りの紆余曲折(うよきょくせつ)で、実際の開校作業は難航を極めた。

「正直、2019年に発表した時に想像したよりも10倍は大変でした。起業家的な楽観主義から始めましたが、本当に大変だった……」。寺田はこう打ち明ける。

それでは、高専設立の何が大変だったのか。

まず、学校法人の理事長や高専の学校長など主要幹部の人選である。

出だしからつまずいた高専プロジェクト

最初のつまずきは、選出した学校長の辞退だった。

2020年6月、当時の神山まるごと高専設立準備委員会は、学校長の候補としてクリエイティブディレクターの菱川勢一を選出していた。

菱川は、デザインスタジオ「DRAWING AND MANUAL」のファウンダーで、大河ドラマ「八重の桜」のオープニング映像をつくったことでも知られる大物クリエイターである。

菱川は神山にサテライトオフィスを置いており、神山に縁のある著名クリエイターという人選はぴったりのように思えた。だが、最終的に学校長を辞退し、うまくいかなかった。

その要因として寺田が後に語ったのは、プロジェクトの立ち上げにおけるスピード感とコミットメントに対する認識の違いだ。

「高専プロジェクトの立ち上げはスタートアップそのもの。理事長や学校長のような核となる人材には、かなりのコミットが必要になる。ただ菱川さんは多忙な方で、学校の立ち上げにかけられる時間が厳しくなりつつあった。それで辞退されることになりました」

「正直なことを言えば、スピード感の違いもありました。スタートアップを立ち上げるような起業家マインドを期待しましたが、その面では目線が少し違ったかな、と」

2023年4月に開校するには、設置認可申請に関する書類を2021年11月までに文科省に提出しなければならない。

コロナ禍で難しい状況にあったが、期限が1年後に迫ろうというタイミングになっても、高専プロジェクトがコンセプトなどの抽象的な議論の枠を出ず、設置認可申請に必要な作業が進まない事態に寺田が危機感を抱いたというのが真相のようだ。

当時の設立準備委員会はボランティア主体で責任の所在が曖昧だったのだろうが、議論ばかりで一向に話が進まないというのは、プロジェクトの立ち上げでよく見られる光景だ。高専プロジェクトも、そんな落とし穴にはまっていたのだろう。

この時点で2020年9月。

このままプロジェクトが失敗すれば、「拙速」「甘すぎる想定」「スタートアップと学校づくりは別物」といった批判が上がるだろう。

だが、スタートアップの創業者にとって、苦境や逆風は日常である。「超」がつくほどのポジティブモンスターである寺田は、理事長と学校長を探すべくギアを上げた。

状況が好転するきっかけになったのは、ＺＯＺＯの技術責任者を務めた大蔵峰樹（みねき）の学校長就任である。

寺田は理事長候補を探すため、高専設立準備委員会の設立後、理事長候補となり得る人に会っては面談することを繰り返していた。ビズリーチのような転職サイトに公募を出したり、知人に良さそうな人を紹介してもらったりして、30人以上に会ったという。

「『初めまして。寺田と申します。理事長やっていただけませんか？』というトークをオンライン越しにひたすらやっていましたね」

神山まるごと高専の学校長に就任した大蔵は、そんな理事長候補として相談した中の一人だった。

寺田が大蔵のことを知った直接のきっかけは、サーバーのホスティングサービスを手掛けるさくらインターネット社長の田中邦裕の紹介だ。

大蔵が話だけでも聞こうと思ったのは、田中が自身と同じ高専出身者であり、テーマが自身の出身でもある高専の話だったからだ。

高校や大学とは違う経歴を選んだ者同士だからだろうか、高専の卒業生は横の連携が強い。大蔵も高専の卒業生ということに強い誇りがある。

出身高専は違うが、高専出身の大先輩である田中から高専に関する相談を受けたために、大蔵は寺田に会おうと決めたのだ。

全然、高専じゃなかった神山まるごと高専の青写真

もっとも、実際に寺田に会って話を聞いてみると、求められる役割は資金調達から組織のマネジメントまで、まるで社長業に近い。しかも、フルタイムでのコミットメントが必要と感じたため、この時は断った。2020年夏の話である。

だが、高専開設に向けて後のない寺田は容易にあきらめず、理事長就任を打診しては断るというやり取りがしばらく続いた。

するとある日、「理事長が難しければ週1回で構わないので、ボランティアで高専の先生をしてもらえないか」とお願いされた。予想外の提案に、大蔵は思わず受諾してしまう。

「それまでは『理事長をお願いします』という厳しめのボールだったのに、急に甘いボールが来たから『それならばいいですよ』と応えてしまいました（笑）。情報工学系の高専ですから、自分に教えられることもあるだろうと思いまして」

すると、すぐに「カリキュラムの作成が進んでいないので相談に乗ってほしい」と言われた。「それくらいであれば」と快諾した大蔵は、それまでの議論を把握しようとSlackのや

り取りや資料を見て愕然（がくぜん）とした。

全然、高専じゃない――。

冒頭でも書いたが、高等教育機関である高専は高校と大学を足して二で割ったような存在だ。一般的な高校のように校則はなく、大学のような自由な雰囲気である。

半面、大学ほど個は強くなく、教師との距離も近い。授業も演習や実習、ＰＢＬが中心で、手を動かしながら何かをつくり上げていくところに大きな特徴がある。

ところが、設立準備委員会の議論を見ていると、高専とは似ても似つかぬものになりそうな気配がプンプンしていた。

何より、高専の根底にある「モノをつくる」という部分が欠落しているように感じた。

「言葉としては書いてあるんですよ。でも、具体的に朝、学生が学校に来てどういう授業を受けるのか、どういう演習や実習をやるのか、その部分のイメージが全くなかった。本当に高専をつくる気があるのかな、と感じました」

育てたい学生像の議論ばかりで、どういう学校にしたいのかという議論も少ないように感じたという。

ついに学校長が見つかる

そうこうしているうちに、学校長候補が辞める、辞めないという話が出てきた。寺田も学校長を水面下で探していたが、なかなかいい候補は見つからない。その中で、寺田は再び大蔵に白羽の矢を立てる。

「神山まるごと高専の設立準備委員会には経営者経験のある人が少ない。その点、大蔵さんはZOZOの元CTO（最高技術責任者）で起業経験もあり、その上に高専出身で、大学院で博士号まで持っている。もう大蔵さん以外に学校長はいないんじゃないかと完全にスイッチが入りました」

寺田は改めて学校長の就任を大蔵に打診した。もちろん大蔵は断ったが、外堀を埋めるように寺田は言った。

学校長はフルタイムでなくてもいい。マネジメントについてはCEO（最高経営責任者）が理事長、学校長はCTOと捉えてほしい。学校のマネジメントは理事長が担当する――。

後で聞くと、深く考えた発言ではなかったようだが、この言葉を聞いて、「それならできるかもしれない」と感じた大蔵は、学校長の就任を受諾してしまう。

スタートアップを株式上場まで持っていった起業家の「粘り」と「腕力」を感じさせるやり取りである。

最終的に寺田の押しに根負けしたような形だが、大蔵が学校長の依頼を受けたのは、別の理由もあった。

先にも述べた通り、高専ＯＢは別の高専の卒業生であっても同窓意識が強い。高専出身というだけで信頼関係が構築できると大蔵が語るほどだ。

それだけに、このまま神山まるごと高専が開校して学生が卒業したとしても、他の高専ＯＢと全く噛み合わない可能性が高い。そのような〝不幸〟を避けるためにも、「高専」という名のフリースクールではなく、本当の高専をつくる必要があった。

また、タイミングも絶妙だった。大蔵はその前年にＺＯＺＯの現場を離れており、残りの人生で何をしようかと考え始めていた。

新設の高専に初代校長として関われる機会はそうそうなく、高専の可能性に人一倍確信を持っていた大蔵にとって魅力的なチャンスである。

「まさに心の隙を突かれた感じ。この話が1年早くても、1年遅くても決断することはなかったと思う」と大蔵は語る。

寺田の腹を括らせた爆弾発言

懸案だった理事長と学校長の2つのポストのうち、学校長の候補は大蔵で固まった。だが、理事長の候補はなかなか決まらなかった。

その中で、寺田が定期的にアドバイスをもらっていた小林りんが一人の女性を紹介する。完全オリジナルのウエディングを企画・プロデュースする「CRAZY WEDDING」の創業者、山川咲である。

小林は長野県軽井沢町にある全寮制のインターナショナルスクール「ユナイテッド・ワールド・カレッジISAKジャパン」の代表理事を務めている。寺田にとって小林は教育プロジェクトの先輩のような存在だ。

山川に会った寺田は一目惚（ぼ）れ。神山まるごと高専にかける想いやコンセプトを伝えたり、実際に神山を案内したり、「理事長候補はもう山川さん以外にいない」とばかりに、すべてのエネルギーを注ぎ込んで口説き落とそうとした。

山川の方も、寺田の想いを真正面から受け止めた。尊敬する小林の紹介ということもあるが、高専というシステムに可能性を感じたからだ。

「今の学生は、高校受験、大学受験、その先の就職と、常に次の進路を意識していますよね。高専であれば、『社会を変える』ということに5年間をフルに使って挑むことができる。これが、日本の教育に残された最後の解だと思ったんです」

寺田に会った山川は、理事長を受けるべきか、どうすれば高専がうまくいくか、自分はどの部分で貢献できるのか、ということを考えた。

「ちょうど1カ月間、娘とキャンピングカーで西日本を回る予定があって。この1カ月で決めようと。神山にも2回立ち寄りました」

そんな山川の真剣な態度を見て、寺田は山川が理事長を受諾してくれると確信。「ここだ」というタイミングでホテルのラウンジに誘い、理事長の就任をお願いした。

「理事長を引き受けてください。一緒に未来の起業家を育てましょう」

まさにクロージングである。

ところが、山川から返ってきたのは、思いも寄らない言葉だった。

「理事長は寺田さんがやらなければうまく回らない。理事長をやるつもりがないのであれば、高専の設立そのものを白紙に戻すべきです。でも、寺田さんが理事長をやるのであれば、私は全力で支えます」

夕闇に沈み込む薄暮のラウンジ。山川の予想だにしない言葉に、寺田は言葉を失った。

「正直、『この人はすごいことを言うな』と思いました。だって、『白紙に戻すべきだ』と言うんですから。でも、同時に『彼女はとても正しいことを言っている』と感じたんです。この時に、自分がやることになるなと直感的に思いました」

2021年11月のことである。

理事長と経営者、二足のわらじに込めた決意

Sansanの現役経営者である寺田にとって、最優先で考えるべきはSansanの経営。高専はあくまでも社会貢献という位置づけで、寺田自身は高専プロジェクトを構想と資金面で支えるつもりだった。当然、自分が理事長になるという選択肢は、はなからない。

だが、神山まるごと高専は寺田が言い出したプロジェクトだ。資金面でのサポートも考えれば、誰が理事長になったとしても寺田の影を見る。その状態で寺田以外の理事長を招いても、きっとうまくいかないだろう。

加えて、教育関係者でもない人間が高専をつくるというプロジェクトはそもそも難易度が高く、とてつもない熱量がなければ不可能は可能にならない。そんなことができるのは高専に情熱をかけている自分しかいない。そのことに、寺田は遅ればせながら気づいた。

山川はこう振り返る。

「私が話した後、寺田さんはしばらく黙り込んでいましたね。本当に無言。その後、『そうかもしれないな。自分がすべきことを人にさせようとしていたのかもしれないな』って。でも寺田さんが悩んでいる姿を見て、本当に奇跡が起きるかもしれない、私もこのプロジェクトに関わりたいと思いました」

その後、山川はクリエイティブディレクターとして社会や保護者、学生に向けた情報発信などに関わることになった。神山まるごと高専は、まだ一般の人にほとんど知られていない。この奇跡の学校の意味を社会に伝えることが自分の役割と捉えたのだ。

山川に振られた後、オフィスに戻ってきた寺田は広報の小池を呼んでこう言った。

「山川咲って知ってる? 今日、理事長をお願いしに行ったんだけど、断られたんだよね。彼女、オレにやれって言ってきたんだよ。そうか、オレかって思っちゃったんだよね」

そう語る寺田の顔は、これまでに見たことがない笑顔だったという。

自分が理事長としてコミットするしかない——。

そう腹を括った寺田だが、上場企業を経営している自分が学校の理事長に就任してもいいものかどうか、その後も1カ月以上悩み続けた。

ただ、Sansanの取締役会で議論する中で、寺田が理事長として高専に関わることと会社として高専の設立を支援することは、矛盾しないという結論に至る。

Sansanとして高専立ち上げを支援するのは、社会に対する積極的な関与やブランディングという観点から見ても問題はない。

神山まるごと高専が優秀な人材を輩出し、将来的にSansanを支える可能性も十分にある。

そう考えれば、高専とSansanの経営が重なり合う部分は少なくない。逆に、会社としての関わり方をはっきりさせた方が株主や社員、社会にとってもいい。そう考えたのだ。

そして、Sansan社内に「神山まるごと高専設立支援室」をつくり、対外的な広報や資金調達などの面で高専設立を積極的にサポート。寺田も、自分の時間の20%を理事長としての時間に充てることになった。

文科省には通じなかった「町まるごとキャンパス」

理事長・寺田親弘、学校長・大蔵峰樹。

神山まるごと高専の主要幹部は2021年1月にようやく固まった。

だが2023年4月に開校するためには、2021年11月までに、文科省に設置認可申請にかかる書類を提出しなければならない。この審査をクリアすれば、2022年8月に認可が下り、晴れて学生募集など学校としての活動を始めることができる。

ただ、設置認可申請に向けた準備は主要幹部の人選と同じくらいの険路だった。

先にも述べたように、設置認可を申請するためには文科省が求める様々な書類を提出する必要がある。

その中身は、学校の所在地や入学定員、教員数などに始まり、開設時期、授業科目の総数や卒業に必要な単位数、授業形態や授業の内容、教育研究上の理念や目的、養成する人材像、学部や学科の特色、授業を担当するすべての教員予定者の履歴など多岐にわたる。

申請における具体的な課題で言えば、コンセプトの具体化であり、カリキュラムづくりであり、教員や生徒の募集であり、資金調達である。

こういった申請にかかる実務を支えたのは、一般社団法人神山まるごと高専設立準備財団の事務局長に就任する松坂孝紀だ。

それまでのふわふわした議論が具体的なプロジェクトとして前に進み始めたのは、先を見通し、実務を回すことに長けた松坂の存在が大きい。

松坂が着手したことはいろいろあるが、「モノをつくる力で、コトを起こす」「まるごと」などのコンセプトを文科省に申請可能なレベルに具体化する作業があった。

例えば、「町まるごとキャンパス」というキーワード。この言葉は、２０１９年6月の設立記者会見でも上がった言葉で、神山の自然環境だけでなく、様々な経験やスキルを持つ地域住民など、すべてから学びを得るという意味が込められている。

確かに、学校にとっては町すべてがキャンパスだ。学生は地域で学ぶのであり、地域から隔絶されたキャンパスで学ぶのは本来の意味の学校ではない。

その意味において、神山で高専をつくる以上、神山という場のすべてを活用して学びを提供するというのは当然のことだ。むしろそうあるべきだろう。

だが、文科省の設置基準では校舎や校区の最低面積が決められており、「町まるごとキャンパス」と謳うのであれば、どこからどこまでが学校の敷地なのかをはっきりさせなければならない。

「住民が先生」というキーワードも上がっていたが、教員の資格は細かく定められており、審査のためには教員一人ひとりの経歴を提出する必要がある。

「住民が先生」というコンセプトは素晴らしいが、実現するには、先生になり得る住民の経歴を提出し、審査を受けなければならない。そんなことは現実的に不可能である。

さらに学校法人の破綻が当たり前の時代、経営難に陥った学校が学生に悪影響を与えるケースも出ている。そういった事態を防ぐために、学生が想定した定員に達しなくても経営が成り立つことを示さなければならない。

一事が万事。

設置基準を満たすため、松坂をはじめとした事務局は当初のコンセプトを残しつつ、実際に申請可能な水準まで計画を練り上げる必要があった。

こうした文科省の対応が四角四面だと批判することもできるが、規制とはそういうもの。少子高齢化の今の時代、学校が粗製濫造（そせいらんぞう）され、学生にしわ寄せがいくことは避けなければならない。

「株式上場でお金を手にした起業家の思いつきではなく、われわれが真剣に学校の設立を考えているということを文科省の担当者に伝えなければならないと思っていました」。そう松坂は振り返る。

コンサルの仕事の対極にあった神山の雰囲気

神山まるごと高専が、文科省が想定したものとは違っていたことも、申請の難しさに拍車をかけた。

まず、新しい学校法人の設立と学校の新規開設が同時だったという点が挙げられる。

設置認可申請では、学校法人は既にあり、新規の学科や学校を開設するケースがほとんどだ。それに対して、神山まるごと高専の場合は、学校法人の設立が同時である。当然、申請書類の作成にかかる負担も重くなる。

加えて、神山まるごと高専は「デザイン・エンジニアリング学科」のみの単科高専であり、1学科200人と学校の規模が小さい。そのため、教員をマルチタスクにしないと人員が遊んでしまうという問題もあった。

例えば、設置基準では体育の教員を常勤で置くことを求めているが、単科の高専なので体育の授業は週2日程度しかない。常勤なのに週2日稼働というのは経営的にはあり得ない。

常勤の教員をどのように揃えるかという問題は、教員と学校の職員を兼務することで解決したが、申請書類の作成で解釈に苦しむケースがあれば、文科省の担当者に確認を取り、修正するということを地道に繰り返した。

「無事、開校することができて今はほっとしていますね」

そう語る松坂が高専プロジェクトに加わったのは、2021年3月。人事コンサルティング会社に勤めていた前職時代、山川が松坂の採用担当だった縁で声がかかり、ボランティアとして手伝い始めた。その後、2021年10月に家族とともに神山に移住し、高専プロジェクトに専念すると決めた。

その理由を松坂は次のように語る。

「ボランティアとして関わっている時に、このプロジェクトは現場で実務を回す人がいないと感じたんです。経営陣は普段、神山にはいませんし、開校後も常駐しない。いろいろ考えて、それをやるのは自分の役割かな、と」

松坂は前職時代に、企業の採用や教育、評価制度などを支援する子会社を立ち上げた経験がある。子会社を立ち上げたのは、新しいことを生み出すエンジンは、人の成長を置いて他にないという信念を持っていたためだ。それゆえに、誰もが等しく経験する学校教育に関わりたいと以前から考えていた。

加えて、自分の年齢もある。

教育と言えば、ある程度成功した後で、人生の仕上げとして取り組むものだと一般的には考えられている。松坂もそう考えていたが、高専プロジェクトに関わる中で、それでは間に合わないと思うようになった。

神山まるごと高専の開校は2023年4月。高専は5年生なので卒業生が出るのはさらに

5年後の２０２８年3月である。

これはあくまでも1期生44人が卒業した時の話で、卒業生が活躍し、社会にインパクトを与えるにはさらに相応の時間がかかる。自分の年齢（当時36歳）を踏まえれば、社会人になってから15年くらいはかかるかもしれない。つまり卒業生が本当に社会に影響を与えるのはこれから20年以上後。その時の自分は60歳目前である。

自分がしたいことは、社会で活躍する人を育てることであり、卒業生が社会を変える姿をこの目で見ること。ならば、目の前のチャンスを活かさない手はない。

「単純な足し算ですが、36歳というタイミングが全く早くないと気づいたんです」

ただ、高専プロジェクトは手伝っているものの、神山に行ったことはなく、ほとんど何も知らない。そこで、あえて平日のど真ん中に神山を訪問して、普段の様子を見て回ることにした。

グリーンバレーの大南とB&Bオニヴァ&Experienceの齊藤郁子の案内でいろいろな住民に話を聞く中で、神山という町が持つ独特の雰囲気に気づいた。

何か決められたまちづくりの戦略があるのではなく、様々なバックボーンを持つ人が出会い、交わる中で予期せぬものが生まれているという現実である。

「コンサルの仕事って、言ってしまえば、ビジョンやゴールを設定し、戦略を立て、スケジュールを決め、プロセスをガチガチに管理して目標を達成することなんですよ。それから外れるものは、すべてリスクという認識。でも、神山はガチガチに管理された世界とは対極にある。このプロセスに身を置けば、自分も大きく成長できると思ったんです」

その後、神山への移住を妻に相談すると、松坂の選択であればついていくという。腹を決めた松坂は2021年10月に神山に移住。高専プロジェクトに飛び込んだ。

カリキュラムに芯を通した「神山サークル」

設置認可申請の一つの核であるカリキュラムについては、カリキュラムディレクターを務める伊藤直樹が重要な役割を果たした。

クリエイティブ集団「PARTY」の代表を務める伊藤は、国内外の広告・デザイン賞を多数受賞している日本を代表するクリエイター。学校長になった大蔵とともに、カリキュラムに命を吹き込んだ人物である。

そんな伊藤が提示したコンセプトが57ページの図にある「神山サークル」だ。

神山まるごと高専が育成する人材像として掲げているのは「モノをつくる力で、コトを起こす人」。この人材像を実現するために、「モノをつくる力」であるテクノロジーとデザイン、「コトを起こして社会を変える力」である起業家精神を重視している。

この人材像と具体的なカリキュラムを概念として落とし込んだものが神山サークルである。中心にあるのは「モノをつくる力」。それを構成するのは、「言葉」「数字」「絵」「プログラミング」の4要素だと定義している。

言葉は、自分だけでなく、他者や社会を理解する上で重要なものだ。

数字を理解して使いこなすのも、ロジカルな分析や計画、物事の法則を理解する上で有用である。

何かを世の中に訴えるにはアートやデザインという絵の力が欠かせず、現代のものづくりにおいてプログラミングやＩＴ関連の知識は必要不可欠な存在だ。

そして、社会に変化を起こすためには、「人と一緒につくる力」「隣人と生きる力」「コトを起こす力」が必要になる。

このように、「モノをつくる力」という観点で、一般科目や専門科目を再定義したのだ。

PARTYや京都芸術大学の教授、『WIRED』日本版のクリエイティブディレクターなど多忙を極める伊藤が高専プロジェクトに加わったのは、寺田が理事長就任を決めた後の2021年5月。既に学校長の大蔵を中心にカリキュラムをつくり始めていたが、テクノロジーに詳しい大蔵も、デザインに関しては門外漢である。その中で、デザインに精通し、教育にも関わっている伊藤に白羽の矢が立った。

伊藤の方にも、高専プロジェクトに加わる理由があった。

伊藤は京都芸大の教授を10年にわたって務めており、教育が好きである。既に教え子は1000人を超え、様々な分野で活躍している。国の政策に関わり、国を変えていくのは大

神山まるごと高専のコンセプト「神山サークル」

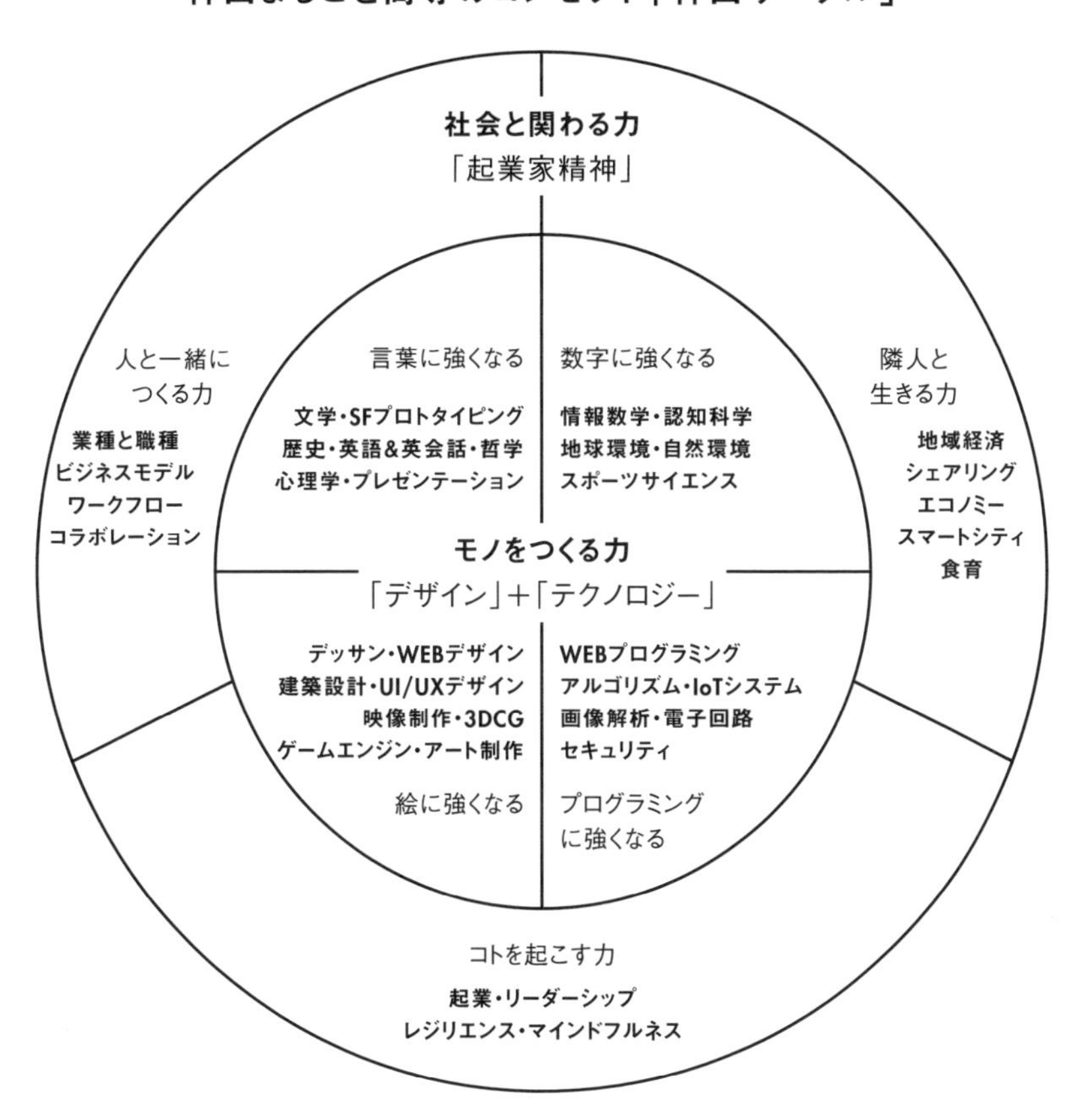

伊藤が作成した神山まるごと高専のカリキュラム構想「神山サークル」

変だが、教育であれば草の根的に社会を変えていくことができるという実感もあった。

また、京都芸大で教える中で、理系や文系といった枠を超えた教育を早期に進める必要性も感じていた。芸大に進むような若者は数学を早い段階で捨てている。エンジニアと言われる人々も、美術やデザインを学ぶことを早々にあきらめてしまう。だが高専という枠組みであれば、15歳から20歳という期間に、美術と数学、デザインとエンジニアリングを同時に学ぶことができる。

「そんな問題意識を持っていたので、寺田さんから話をもらった時は願ったり叶(かな)ったりでしたね」

大蔵とともに必要なカリキュラムと科目を洗い出した伊藤は、「神山サークル」をつくり上げる。


伊藤は「コンセプトの言語化」でも重要な役割を果たした。

神山まるごと高専の象徴とも言える「モノをつくる力で、コトを起こす人」という概念を言葉にしたのは伊藤である。神山まるごと高専の中で頻繁に使われる「ベータメンタリティ」も、もともとは伊藤が使っていた言葉だ。

「ポートランドの会社に勤めていた時、当時の上司に『ポートランドの特徴を一言で言うと何ですか』と聞いたんです。その時に返ってきた言葉が『ベータメンタリティ』。完成していなくてもプロダクトを出して、反応を見ながら修正する。そんなベータメンタリティが米西海岸には流れているのだ、と。そういうふうに考えたことがなかったのでハッとして。それ以来、大切にしている言葉です」

高専設立の過程で起きた地域との衝突

フードハブが神山まるごと高専の給食を担当するようになったのも、実は伊藤の存在があった。

第3章で詳しく述べるが、フードハブとは、神山の「地産地食」を進めるために2016年4月に設立された企業だ。「食べる」ということを通して、神山で生産された農作物の需要拡大を目指している。神山にある食堂の「かま屋」は、そのための舞台である。

フードハブは文字通り、神山における食のハブとしてつくられた企業だ。しかも、神山まるごと高専ができれば、毎日、朝昼晩と200人以上の学生や教職員の需要が生まれる。その目的と高専の規模を考えれば、高専の食事はフードハブが手掛けるのが自然だ。

ところが、価格面で折り合いがつかず、フードハブの採用を見送るという雰囲気になりかけたことがあった。その時に、「フードハブを採用しないのであれば、クリエイティブディレクターを降りる」と啖呵(たんか)を切ったのが伊藤である。

「地産地食のコアであるフードハブを使わないという選択はあり得ないと思ったんです」

そもそも伊藤が高専プロジェクトに加わった当時、神山まるごと高専とフードハブの関係は最悪だった。

高専サイドは寺田や山川が先頭に立って様々な動きを始めていたが、彼らは東京からスポットで来るだけで、神山に住んでいるわけではない。そんな外様の人間が神山を引っかき回している現状に、フードハブや神山つなぐ公社、地域の人間が腹を立てていたのだ。

「打ち合わせで初めて神山に行くと、フードハブの真鍋（太一）さんたちが怒っているわけ。高専の人たちがズケズケと入り込んで好き勝手にやっているけど、手順と段取りを間違えると大変なことになるよ、と。話を聞いてその通りだなと思ったけど、僕は初めてだから（笑）。それで、お互いの言い分をぶつけ合う場をつくることになった。行司役は最も第三者な立場だった僕で」

実は、伊藤とフードハブの共同代表を務める真鍋太一は10年来の友人である。

2011年11月に「OPENharvest」という食とアートの参加型イベントが開催された。このイベントの仕掛け人の一人が伊藤で、フードハブ・プロジェクトの共同代表を務める真鍋は現場の運営の担当だった。真鍋とは、それ以来の友人である。

真鍋の生き方や考え方に共鳴していた伊藤は、真鍋が立ち上げたフードハブにも注目していた。伊藤が高専プロジェクトに加わった理由として教育に対する関心があったと書いたが、神山に真鍋がいたということも理由の一つである。

「この時は、寺田さんや山川さん、真鍋さんが相当ガチガチやっていました。山川さんは泣きだすし、真鍋さんも『高専には一切関わらない』と言うし。ただ、ここでお互いの言い分を吐き出したことで、傷口がふさがっていった感じがしますね」

この時の衝突は、「起業家精神とは何か」ということを考えるいい機会にもなった。

ベータメンタリティの体現者である寺田や山川は、自分たちの考えやビジョンに従って突き進んでいく。その結果、途中で衝突も起きるが、その場合もお互いに話し合うことで膿(うみ)を出し、修正する。それこそがアントレプレナーシップだろう、と。

なお、悪化した高専と地域の人との関係は、事務局長の松坂が移住したことで好転していった。

伊藤は今、様々な授業を考えている。

例えば、外部企業との連携だ。ソニークリエイティブセンターのプロダクトディレクターとは、ものづくりに関する授業を企画している。コクヨとも、循環型のプロダクトをつくる授業を検討中だ。

伊藤自身が授業をすることで、教育の質を上げることも重要な仕事だと考えている。

神山まるごと高専は教科書もない学校だ。授業ではアクティブラーニングを重視しているが、実際に体験したことのある教員も少ない。どういう授業が神山まるごと高専にふさわしいのか、それを一緒につくり上げていくことが自分の役割だと伊藤は考えている。

ある体育教師の葛藤

設置認可申請にあたっては、海のものとも山のものともつかぬ高専に人生をかけた教師たちの存在も大きい。

前述したように、文科省に申請を出すには、着任予定の教師がすべて揃っている必要がある。だが、学校法人と学校の設立が同時のため、法人としての実績はゼロ。その状態で新設校の教員になるというのは大きな賭けだ。

それでも、結果として募集人員を上回る応募が集まったのは、神山まるごと高専が掲げる教育方針に共鳴しただけでなく、既存の教育に対してモヤモヤとした感情を持つ教員が少なからずいたということだろう。神山まるごと高専の保健体育教員、鈴木佑奈もそんな一人だった。

高知県にある公立中高一貫校にいた鈴木が神山まるごと高専に来たのは、ここであれば、理想と考える教育ができると考えたためだ。具体的に言えば、大学院で研究した国際バカロレア（ＩＢ）プログラムの体育における実践である。

ＩＢとは、国際バカロレア機構が設置した教育プログラムであり、大学入学資格試験でもある。そもそもは国際機関や外交官など、世界を転戦する人の子どもが母国で大学に進学できるように、世界共通の大学入学資格を与えるプログラムとして開発されたものだ。

3歳~12歳までを対象にした教程から、11歳~16歳、16歳~19歳を対象にした教程まで、IBは年代や進路によってプログラムが異なる。

ただ、それぞれの国・地域に関係なく、国際的に通用する普遍的な教養やスキルを身につけさせるという目的でつくられたがゆえに、概念学習や探究型学習の考え方がベースになっている。

概念学習とは、実際に起きているファクトやトピックではなく、より普遍的で抽象化された「概念(コンセプト)」を学ぶ学習方法のこと。

例えば、「サンゴ礁の減少」という具体的な事象を知ることは地球規模で起きている環境変化を学ぶ上で重要だが、それ以上に、気候変動や絶滅など、もう一段抽象度の高い概念で捉えれば、サンゴ礁だけでなく動植物や人類など他のものも対象にすることができる。

探究型学習についても、サンゴ礁の減少をただ調べるのではなく、概念を意識しつつ調べることを重視している。そうすれば、思考の応用の幅が広がると考えるためだ。


大学卒業後、小学校の教員になった鈴木だが、従来の体育に見られる管理型教育に疑問を感じて、1年で学校を辞めた。

その後は自身がバスケットボールに打ち込んでいたこともあり、バスケットボール女子日本リーグに所属する日立ハイテククーガーズのマネジャーに転身した。

そこでＩＢの存在を知り、ＩＢを深く学べば、体育の授業に活かせるのではないかと思うようになった。

「バスケができても、生きる上ではあまり役に立たないかもしれません。でも、バスケを通して、『チーム内でどのように情報をやり取りすれば強くなるか』ということも学ぶことができる。ルールについても、ただ『ルールを守れ』と言うのではなく、ファールにならないプレーが何かを考え、自分で実践することはできる。体育を学ぶのではなく、体育を通して学ぶことができるという点が魅力的に映りました」

そして、鈴木は大学院でＩＢについて研究し、ＩＢを導入する高知県の学校に赴任した。ただ、ここで公教育の中でＩＢを進めることに限界を感じる。

ＩＢを進めると言っても公立学校である以上、公教育の枠組みの中での教育になる。学校に新しい教育を取り入れる意欲と意思があるとしても、公教育の枠組みを逸脱したことや前例のないことはやりづらいのが実情だ。

しかも大勢いる教職員の中で、ＩＢを学んだ人間は数人程度。従来のやり方に慣れた教員とは差もあった。

「ある程度はできるかなと思っていたんですが、難しいところもありましたね」

そんな鈴木が神山まるごと高専に関心を持ったのは、２０２１年2月に実施されたオンラインイベントだった。

神山まるごと高専設立準備財団には、現場で教育に携わる教員がいない。そこで、現役の教員にオンラインで話を聞くイベントを実施したのだ。

学校の同僚に誘われてイベントに参加した時の印象は「キラキラしたエリート教育をする学校」。だがイベントの後、山川と個別に話して興味を持ち始める。

「どういう教育をしたいか」という話になった時、鈴木はこう言った。

「体育を通して、子どもたちが自己管理できるような教育をしたい」

「教師がレールを引くのではなく、学校の中での失敗を通して、自分で自分の人生に責任を持てるように育っていってほしい」

すると、山川もこう述べた。

「起業家精神の中には、心身両面の自己管理だけでなく、自己決定の積み重ねという意味もある。鈴木さんが目指す教育は、私たちが目指している方向と同じですね」

その言葉を聞いて、「それならば、やってみたいですね」と思わず言ってしまった。

「この時は面接を受けてみようと思っただけで、当時の学校を辞めようとは考えていませんでした。でも、気づいたら最終面接まで行っていましたね（笑）」

そして、高専の開校が決まってもいない2022年5月に神山に移住。教員兼職員として、地元向けの説明会や、2022年夏に開催したサマースクールなどの準備にあたった。

鈴木は今、新しい授業をいろいろと考えている。

例えば、寮暮らしが始まったばかりの1年生の前期には、生活を整えるために睡眠時間や食事、運動など毎日の生活プランを立てて実践する授業を進める。

また、自分が健康的に生きるために、ふさわしい運動は人それぞれ異なる。自分の心拍数を一定の間20上げるのに適した運動も、人によって違う。運動するという目的であっても、そこに至るプロセスは様々。そういったことを考えるような授業を実践していきたいという。

「いずれにしても、ピーッと笛を吹いてみんなで一斉に動く。そういう授業はしないでしょうね」

「先生、こんなん募集しよるよ。応募せんの？」

春田麻里も、神山に新しい教育の姿を見いだした一人だ。

27年間にわたり、徳島県内の県立高校で国語教師を務めていた春田。進学校だったため、大学入試センター試験（現・大学入学共通テスト）に向けた指導も多かった。

ただ、900点満点のセンター試験は問題数が多いため、知識だけでなく、スピードが求められる特殊な試験だ。このテスト形式に対応できない生徒を少なからず見てきた。

その中で、センター試験ではなく、いわゆる小論文と面接をベースにしたAO入試（現・総合型選抜）を目指す生徒をサポートする機会が増えた。

AO入試で合格するには、自ら課題を設定し、調べ考えていく探究活動が重要になる。生徒の探究学習を手伝ううちに、テスト対策よりも、探究学習に力を入れるべきなのではないかという疑問がふつふつと湧き始めた。

勤めていた学校が中等教育学校（中高一貫）になったことも、既存の教育に対する違和感が深まるきっかけになった。

その昔、公立では、中学と高校が分かれていたが、今は私立のように、中高一貫教育を提供する中等教育学校が増えつつある。春田の勤める高校も数年前に高校入試をやめ、中高一貫にシフトしていた。

この時、高校受験がないという特徴を最大限に活かした新しい学校をつくることができたのに、これまでとあまり代わり映えしないカリキュラムになったことを春田は残念に思っていた。

「こんな感じだと、一生、新しい学校なんてつくれないだろうな」

そう感じていた時に、神山まるごと高専の話を耳にする。

「小論文のテーマに神山のまちづくりを選んだ生徒がいたんです。その生徒が、『先生、こんなん募集しよるよ。これ、先生が好きなやつちゃうん？ 応募せんの？』と言ってきて」

徳島県に住んでいるため、神山まるごと高専の存在は知っていたが、自分とは関係のない世界だと思っていた。それが生徒の言葉を聞いて、急に自分事になった。

「生徒の言葉を聞いて、『えっ、私も出していいんかな』と思ったんです」

周囲の人に相談すると、「どうなるか分からん」「やめとけ」という反応だった。

春田自身も、安定した教員の職を辞して別のことをやろうと思ったことは、これまでに一度もなかった。

ただ、教員になれば一生安泰という時代ではない。生徒にも、新しいことにどんどんチャレンジしてほしいと言い続けてきた。

その自分が教員という職にしがみついていることに感じる疑問——。

「『したかったらしたらええやん』『辞めても死なんとちゃうん?』と、思えたんですよね」

そして、生徒の受験が終わった後、神山まるごと高専に応募。2020年の夏に、採用通知が来た。

高専では、職員として働きつつ、国語表現などの授業を持つ。

神山まるごと高専には、一般科目や専門科目の教師を含め23人の常勤スタッフがいる。彼らはみな、新しい教育をつくるために安定を捨てた人々だ。高専が標榜する起業家精神をまさに体現している。

子どもの決断を尊重できる親の存在

設立初年度の新設校に進もうと考えた学生や保護者もそうだ。

2023年4月2日の入学式当日、さわやかな白のスーツに身を包んだ新入生の鈴木結衣は、将来の夢をこう語った。

「将来は独りぼっちで泣く人のいない世界をつくりたいと思っています。どのように実現するかは神山で模索したい」

埼玉県出身の鈴木は、子どもの頃から社長になりたいという漠然とした夢を持っていた。ただ、社長と言っても、既存の企業に就職して社長になるというルートもあれば、創業社長という選択肢もある。

その中で、「起業の方がいい」と感じていた鈴木は、母親から神山まるごと高専の存在を聞き、ここであれば自分の夢が叶うと考えた。その後は猛勉強。晴れて合格を果たした。

「人生で一番頑張ったので受かってほっとしました。今はワクワクしています」

北海道出身の江田岬毅は、神山まるごと高専を受けるために、親を必死に説得した。

「普通の人生を歩むのはつまらない」

そう考えていた江田が高専を知ったのは、中学の先生からもらった案内チラシだった。興味を持った江田は、学校説明会に参加。ここであれば普通ではない人生を歩むことができると感じた。

ところが、四国・徳島県の山奥にできる新設校である。当然、親は反対した。その反対の声に対して、江田はテクノロジー、デザイン、起業家精神のそれぞれを学べる高校をリストアップ。3つすべてを学べる学校は神山まるごと高専以外にないと説得した。

結果、見事に合格。15歳にして未知なる一歩を踏み出した。
「将来の夢はまだ決まっていませんが、人の役に立つ会社を起業したい」

一期生44人にはそれぞれの決断があった。それは送り出す親にとっても同じである。いい高校に入り、いい大学に行き、いい会社に就職するというこれまでの常識が崩れていることは、とうの昔に気づいている。それでも、〝従来のルート〟から外れて、果たして子どもが幸せな人生を歩むことができるのか。それ以前に、メシを食っていけるのか。

しかも中学3年生は、大人でも子どもでもない年齢である。

本人の決断は親としてうれしく、尊重したいと思うものの、年齢を重ねた大人から見れば、その決断はどこか危うくも映る。

入学式の夜、私は宿泊先のWEEK神山でビールを飲みながら原稿を書いていた。すると入学式に参加したと思われる夫婦が入ってきた。離れていたので何を話していたのかは分からなかったが、ある種の責任を果たしたような、ほっとした表情で語り合っていたのが印象的だった。

期待と不安がない交ぜになった親の感情は、入学式のプログラムの一つだった手紙の読み上げでも見て取れた。親と子が、それぞれに対して用意した手紙を読み上げるというイベントである。

少し離れたところで聞いていたが、私も小学生の子を持つ親として、いろいろと考えさせられる瞬間だった。

神山まるごと高専には合格者の約9倍にあたる約400人の応募が集まった。合格者数は44人なので9割は落ちたわけだが、入学試験の時に「楽しかった」という感想を残した受験生が少なからずいたという。

人生は、挑戦してははね返されることの連続である。その第一歩が神山まるごと高専だったのは決してムダなことではない。

無名の高専を社会に認知させた「やり方」

蓋(ふた)を開けてみれば応募が殺到した神山まるごと高専。だが、設置認可が下りるまでは学生の募集ができないため、学生募集には新設校としての難しさがあった。

そのために何をしたかというと、最初は親や社会に向けた情報発信である。

高校進学は中学受験や大学受験と異なり、親だけでも子どもだけでも決められない。必然的に家庭の中での議論になる。

山川を中心としたチームが保護者や社会にフォーカスしたのは、保護者が子どもと進路について話し合う時の選択肢に入れてもらうことが狙いだった。

実際、神山まるごと高専の公式noteを見ると、2021年1月の一発目の記事は『「日本の田舎町に未来のシリコンバレーを」神山町に高専を作る、3人の決起物語』と題して、寺田、大蔵、山川の3人が、高専プロジェクトに参画した経緯と、そこにかける想いが綴られている。

その後、公開されている記事も教育やカリキュラムに対する考え方などが中心だ。

チームが意識したのは、高専づくりを閉じたものにしないこと。

教育分野の著名人や先進的な教育を実践している人などを招いた「神山まるごと高専円卓会議」を定期的に実施し、内容を公開したのもそのためだ。

このように、保護者や社会に向けて主に学校づくりや目指す学校像を伝えていたチームが、実際に進学する中学生に向けて情報を出し始めたのは、実際の受験を1年後に控えた2021年12月。

この時、初めて学生向けに授業や教師など学校生活についてPRする説明会をリアルで実施した。その後、2022年2月からは毎週のように説明会を開いている。

2022年3月には東京会場、神山会場、オンラインの3拠点で、「未来の学校FES」を開催する。

このイベントでは2日間にわたって、ものづくりやSDGs、神山まるごと高専のキーワードでもあるイノベーション、デザイン、テクノロジーなどについて、企業経営者やクリエイターを招いて議論した。

保護者や中学生の関心に幅広く刺さるように、やりたいことをどうやって見つけるかや未来の学び、さらには人間性を育む教育や理系女子の将来、コミュニティ教育に関するプログラムなども併せて実施されている。このイベントには、最終的に約400人が参加した。

2022年7月には、学生と保護者を対象にした高専のキャンパスツアーやサマースクールなど、中学3年生を対象としたイベントも始めている。

私が参加した同年10月のキャンパスツアーには、20人の親子が参加していた。中には、沖縄や岩手から訪れた親子もいた。

「社会に対して芯を食った」と寺田は表現したが、起業家教育を謳う神山まるごと高専は、今の日本が抱える課題に合致しているように見える。

資金調達と学費無償化で見せた起業家の腕力

理事長・学校長の人選に始まり、カリキュラムづくりや教師集め、設置認可申請の実務など、目の前に現れる課題を一つずつ解決してきた神山まるごと高専。設置認可に向けた最後のハードルとして立ちはだかったのは、資金調達である。

神山まるごと高専設立準備財団は、開校資金として21億円、最低でも17億円が必要になると見ていた。内訳は校舎の建築や用地取得、什器（じゅうき）の購入などのハード面で14億円、運転資金で2億〜3億円である。これだけの資金を申請時に用意しておかなければならない。

学校法人や学校の設置申請が特殊なのは、借り入れなども含め、申請時に資金を集めきっておかなければならないという点だ。

申請は2021年11月。資金集めの期間は1年もない。

この資金集めは、Sansanの資金調達でこれまでに100億円前後を集めた寺田をしても、とてつもないハードルだった。

「文科省の審査書類の準備などいろいろありましたが、資金集めは大変でした。間違いなく言えるのは、スタートアップの資金調達と開校のための資金調達は別物だということです」


何が違うのか。ビジネスにおける資金調達はリターンがある程度、明確だ。言ってしまえば、自社が手掛けるサービスの独自性や成長性を語り、株式上場までの道筋を示せればいい。それに対して、学校の場合は明確なリターンを示すことが極めて難しい。

もちろん、教育は国や社会の土台であり、起業家精神にあふれた若者を送り出すということは大きなリターンである。

ただ、マクロで見れば誰もが同意しても、実際にお金を出す投資家が最終的に重視するのは自分自身、あるいは自分の会社にどういうメリットがあるのか、である。卒業生が投資家の会社に入るわけでもなければ、高専が研究開発に協力してくれるわけでもない。

「つまり、ほぼ『金をくれ』と言っているようなものなんです。『すみません。お金をください』と真剣に話して、僕たちのプロジェクトに共感してもらうほかにない。これは本当に大変でした」。寺田は振り返る。

実際の資金調達で寺田は、クラウドファンディングやふるさと納税の他に、寄付を集めるために徳島に縁のある人、教育に関心のありそうな著名人や企業などを抽出し、片っ端から連絡を取った。

このファウンディングパートナーには寺田の知り合いもいたが、飛び込み営業のようなケースも少なくなかった。

例えば、ファウンディングパートナーには日立製作所会長の東原敏昭が名を連ねているが、これも東原が徳島出身ということを聞き、秘書室に電話をしたのが始まりだ。

「そういうレベルでアポを取って、実際の面談の場で、『君たち、何しに来たの？』みたいな（笑）。それで30分一生懸命お話しして、最終的にファウンディングパートナーになっていただきました」

最終的に、ファウンディングパートナーは個人・企業を合わせて50～60。クラウドファンディングでは約1600人の支援が集まった。開校資金も、目標とした21億円を上回る24億円の調達に成功している。開校資金に輪をかけて大変だったのは、学費の永久無償化を実現するための基金の設立である。

学費無償化を実現した舞台装置

神山まるごと高専は私立の高専ということもあり、普通に学費を徴収すると年間２００万円ほどになる。

これでは私立のエリート養成学校とほとんど変わらず、多様性を是とする神山らしくない。

1期生の学費無償化は、先に集めた24億円の中で実現したが、問題は2期生以降の完全無償化である。これが実現すれば、親の資産に関係なく、幅広い層の学生に門戸を開くことができる。

そのための仕組みとして、寺田は基金の設立を考えた。

10社から10億円ずつ、１００億円の資金を集め、その運用益を返済不要の奨学金に充てるというものだ。その実現のために、寺田は「スカラーシップパートナー制度」という仕組みをひねり出した。企業名を関した奨学金を学生に給付することで、基金に出資した企業と奨学金を受ける学生を結びつける仕組みである。

実際に、「〇〇奨学生」というように、それぞれの企業に割り当てられた学生は5年間の高専生活を通して、スカラーシップ企業のビジネスについて学び、スカラーシップ企業とともに協業していく。

例えば、1年目はスカラーシップパートナーのビジネスモデルや組織、社風などについて学び、様々なスキルを身につけた5年目に、スカラーシップパートナーと一緒にビジネスプランの構想や実際のものづくりとしてアウトプットしていくイメージである。

開校までに10社の出資企業を集めると寺田は宣言していたが、実際には1社多い11社の出資が決まった。

デロイトトーマツコンサルティング、ソニーグループ、伊藤忠テクノソリューションズ、MIXI取締役ファウンダー・笠原健治、セプテーニ・ホールディングス、ソフトバンク、富士通、ロート製薬、セコム、リコー、Sansanの11社である。

それにしても、24億円の開校資金を集めるのにも苦労したのに、11社100億円規模の調達である。しかも前述したように、基金に出資する企業にとってメリットが見いだしにくい。

この資金を集めるために、寺田は次のようなロジックで、名だたる会社を口説き落とした。

スカラーシップパートナーは当初10社が想定だったため、1社あたりの学生は4人。この4人をそれぞれの企業の奨学生と位置づける。高専は5年生のため、全体では1社あたり20人の奨学生がいることになる。

この20人は、普通の若者ではない。神山まるごと高専は起業家育成を謳う新しい学校。その学校に飛び込むという決断を、15歳で下した若者である。まさに野心と志を持った、起業家精神にあふれる人材だろう。

スカラーシップパートナーになれば、そのような人材が自社の奨学生として毎年のように生まれていく。

しかも、神山まるごと高専では演習や課外活動も多く、スカラーシップパートナーと学生が一緒に共同研究したり、新規事業を進めたりすることも日常的に始まる。卒業生が入社するかどうかはともかく、その関係は卒業後も続く。もちろん、在校生だけでなく、神山まるごと高専を受けようと思っている若者も、スカラーシップパートナーの存在には注目するだろう。

起業家精神の育成が国のアジェンダに挙がる中、起業家人材が自社の奨学生として毎年のように生まれる状況は大きな価値なのではないか。10億円でも安いくらいではないか——。

「最初は普通に基金に出資してくださいと言って企業を回っていましたが、全然ダメで……。それで、いろいろあってこんなロジックになったんです」

寺田と一緒に企業を回ったSansanの長谷川嵩は打ち明ける。

学校の開校にあたって資金調達は最も難しいところの一つだが、それを様々な理屈で集めきるところに、起業家・寺田のすごみがある。将来の経済情勢などもあるが、学費無償化のための舞台装置はこうして完成した。

そして、２０２１年11月。神山まるごと高専設立準備財団は１０００ページに上る設置申請書類を提出した。

その後、９カ月に及ぶ審査の末、２０２２年8月31日に設置認可が下りた。約20年ぶりの高専設立の瞬間である。

認可報告を受けた直後、電話で泣きながら大南に結果を伝えた寺田。その姿は、それまでの想像を絶するプレッシャーを物語っているように見えた。

「正直、いろいろな人を巻き込んだ責任感だけで駆動していました。これからは、純粋に開校に向けて楽しむことができます」

前代未聞のプロジェクトを実現させた神山の力

すべてを書き切れたわけではないが、2019年6月のプロジェクトの立ち上げから2022年8月の設置認可まで、様々な障害にぶつかりながらも乗り越え、高専設立を実現した。

事務局長の松坂が指摘するように、学校の真の評価は卒業生が出て社会で活躍してからだが、ぶち上げた構想をスタートアップさながらのプロセスでやり切った点は称賛に値する。

それにしても、神山まるごと高専はなぜ神山で立ち上がり、神山に生まれたのか。繰り返しになるが、サテライトオフィスに関心を持った起業家が、神山の人と自然に触れる中、自身の胸の中にあった教育プロジェクトを神山でやりたいと思ったことがすべての始まりである。

途中、プロジェクト瓦解(がかい)の危機もあったが、寺田に共感した人々の想いが雪だるま式に膨らみ、奇跡の学校は誕生した。

想いを持つ起業家と、そのビジョンに共鳴した人々の物語——。

それが可能になったのは、人と人とのつながり、難しく言えば社会関係資本が豊富にある神山を舞台にしたからだろう。

高専プロジェクトは数多くのプロボノに支えられた。その中には、神山に住む人や神山に縁のある人も数多い。

そして、町の全面的なサポートである。

認可事業である高専は失敗のリスクもあるが、町長を含め町は寺田のプロジェクトが成功すると信じ、様々な面で協力を惜しまなかった。現に、ハードを含めた町のサポートがなければ、高専プロジェクトは恐らくうまくいっていない。

例えば、神山まるごと高専の学生寮になっている元中学校。

子どもが大勢いた時代に建てられた校舎で、その広さを持て余していた面はあるにせよ、神山町は既存の中学校を別の場所に移転することを決め、空いた校舎を学生寮に転用できるようにした。校舎の土地も神山町が取得している。

また神山まるごと高専の誕生によって、生徒や教師など、神山町の住民が200人以上増える。その状況に対応するため、町は水道インフラも増強した。こういった施設やインフラがなければ、リアルの学校はつくれない。

ふるさと納税の募集を含め、町役場の全面的な協力は高専プロジェクトを支えた。

地元のサポートの中でも、とりわけ大きかったのは地元調整に奔走した大南の存在だ。町役場とのやり取りに始まり、キーパーソンへの根回しや神山に来た企業パートナーの対応など、地元の実質的な責任者として走り回った。

もっとも、大南は神山に住んでいないプロジェクトメンバーとは異なり、神山で生まれ育った地元住民なだけに、プレッシャーは相当なものだった。

事実、文科省の認可が下りる2022年8月31日の当日、自宅に来た宅配便の受け取りでサインをした時、自分の手がブルブルと震えているのに気づいた。そこまで追い込まれているのかと自分でも驚いたという。

設置認可が下りた後の住民向け説明会でも、高専づくりを進めていた時の気持ちを率直に吐露している。

「2019年6月の設立発表の席で大風呂敷を広げたものの、何をすればいいのか分からない状態が続いて。それから3年以上が経ちましたが、本当に苦しかった。その間、楽しいことやうれしいこともいろいろあったんですが、『高専はできるんかいな』とすぐに現実に引き戻されて……。生まれ変わってもまた学校をつくるか？　絶対にやりません（笑）」

仮に高専プロジェクトが頓挫しても、よそ者である寺田は神山を去ればいい。だが、大南は地元の人間である。大南がいるからこそ協力したという地元の住民もいる。

大南にとっては失敗が許されないプロジェクトだからこそ、手が震えるほどのプレッシャーを感じていたのだろう。

その中で大南が高専プロジェクトに身を投じたのは、そのリスク以上に、寺田の想いと神山に高専ができることによる化学反応を重視したからだ。

今回の高専プロジェクトには、大南だけでなく、数多くの地元住民や移住者が関与している。人的リソースが豊富な神山でなければ、プロジェクトは成就しなかった。

神山では今、こういったつながりをベースに、神山まるごと高専に勝(まさ)るとも劣らないプロジェクトが続々と生まれている。

次章では、そんなプロジェクトを通して、なぜ神山でプロジェクトが立ち上がるのかを掘り下げていこう。

第2章

プロジェクトが続々と湧き出る神山の秘密

神山で一番印象に残っているものは何かと問われれば、実はサテライトオフィスでも神山アーティスト・イン・レジデンスで滞在したアーティストたちの作品でもなく、山の斜面にへばりつくように点在している家である。

私の父の生家は、長野・八ヶ岳の麓にポツンとある一軒家だったため、そういう山深い集落の風景は見慣れている。だが神山に来始めた当初、町の中をクルマで走り回っては「なんでこんなところに……」と驚いたことを思い出す。

地元の人によれば、鮎喰川(あくいがわ)沿いに国道が通る前、集落間の移動は川沿いではなく尾根筋にある道を使っていた。その後、鮎喰川沿いに道路ができたため、住民は下に下りていったが、昔の名残で山の斜面に家があるのだという。改めて四国の山は深く険しいと感じる。

ワイルド過ぎる2つの教育プロジェクト

本章で取り上げる「森の学校 みっけ」と「お山のようちえん ねっこぼっこ」も、そんな山深い神山らしい場所にある。

みっけがあるのは、神山温泉の脇の道をくねくねと上った先。道路は舗装されているが、車一台がやっと通れるほどの幅だ。

ねっこぼっこも、ロケーションはこれに近い。場所は神山の中でも徳島市に近い広野地区だが、国道から分かれた一車線の山道を上り、さらに橋を渡った坂の途中にある。

みっけは、2022年4月、神山に開校したオルタナティブスクールだ。

オルタナティブスクールとは、学校教育法第一条で定められている「一条校」や不登校の子どもが通うフリースクールとは異なる、「もう一つの学校」。文科省の学習指導要領に縛られず、子どもの主体性や自主性を重んじた教育を提供する学校の総称だ。

地元の公立小学校と連携しており、みっけに登校すれば、公立小学校の出席扱いになる。

みっけと同じ2022年4月に誕生したねっこぼっこは、「ようちえん」と称しているが、実のところは認可外保育施設（都道府県知事への届け出が必要）である。

ファミリーの移住者が増えたことで、子どもの教育に多様性を求める保護者も増えている。その中で、一人の移住者が始めた取り組みだ。

どちらも自然発生的に立ち上がった神山の最新プロジェクトである。


本書の取材のために、2022年12月と2023年2月に2つの施設を訪れたが、両者を見た時の私の率直な感想は、「送り迎えが大変そうだな」というものだった。

みっけは神山温泉の駐車場から歩ける距離のため、徒歩で迎えに行く保護者もいるが、自動車が大型化している昨今、あの道は上るのも切り返すのも神経を使う。

ねっこぼっこも、少し離れたところに車を止めるところはあるものの、園舎まで行ってしまうと、切り返せるようなポイントはしばらくない。

そういう立地なだけに、校舎や園舎もワイルドだ。

みっけの校舎とフィールドは沢沿いに開けた元棚田。幅の狭い道路から急斜面を下りたところにある。

校舎は真新しい木造の建物だが、それ以外はほぼ手づくり。子どもたちが荷物を入れるロッカーは、雨よけのための簡易的な屋根がついているだけの質素なもの。ランチをつくるキッチンも、屋根はついているが吹きさらしでキャンプ場の炊事場に近い。

トイレはさらにワイルドだ。いわゆるコンポストトイレ（バイオトイレ）で、用を足した後、横に置いてあるおがくずを入れ、手動のハンドルを回して攪拌（かくはん）する。もちろん、きれいに管理されているが、初めて見た子どもと保護者はのけぞるに違いない。集めた屎尿（しにょう）は畑の肥料として活用している。

ねっこぼっこも似たり寄ったりだ。

園舎は築１００年は超えていそうな古民家。昔の農家の家らしく、だだっ広い畳部屋が広がっており、その一角に絵本や遊具が並んでいる。

園庭は園舎の横の石段を上がった先にある元ナンテン畑。放置されていたナンテンを引っこ抜いて園庭にしたため、フィールドはボコボコだ。そこをスタッフが見守る中、子どもたちは元気いっぱいに走り回っている。

「（開園したばかりの）４月頃はよく転んでいましたが、２〜３カ月も経つと、みんな転ばなくなりました。子どもの成長はすごいです」

そう語るのは、おかっぱ頭が印象的な清家結生（ゆうき）。子どもたちに「ケツオ（結生）」や「ケツ」と呼ばれているねっこぼっこの代表だ。

確かにこのフィールドを走り回れば、体幹が鍛えられるだろう。

「みっけ」と「ねっこぼっこ」が大切にしていること

教育・保育の内容も一般的な小学校や保育園とは異なる。

みっけの一日は「始まりの輪」に始まり、「終わりの輪」で終わる。

毎朝9時30分に集まり、その日の活動内容をみんなで決めるのが「始まりの輪」。その日の天候と相談しながら、山の中を走り回ったり、カゴを編んだり、木の棒で弓矢をつくったり、「ここはアラスカ。マッチは1本しかありません」という設定の下、火おこしにチャレンジしたり。生きる力、考える力を育む様々な体験学習を進めていく。

2月半ばにみっけを訪ねた時は、学校周辺のアップダウンのある道を子どもたちが自転車で走り回っていた。片道40キロに達する自転車での遠出を控えており、そのためのトレーニングをしているのだという。

トレーニングに出る前には、目的地までの距離から消費カロリーを計算し、行動食として何を持っていくべきかを話し合っていた。

机に向かって授業を聞くのではなく、独自の体験学習がみっけの大きな特徴だ。中でも大切にしているのは、自然の中で五感を通して遊び、その遊びの中から学ぶことだ。

例えば、自分たちの使っている沢の水がどこから来ているのか。その水源を巡る探検を通して、森と水、環境についての理解を深める。

目の前の沢にいるカニや畑で育てた農作物でお昼ごはんをつくる。その体験を通して、生きとし生けるものの命を学び、自分たちの体を形づくる食べ物について学ぶ。

森の中で集めたたくさんの木苺（きいちご）を全員に平等に分けて、お土産にするにはどうすればいいのか。その過程を通して、数の計算やお土産にふさわしい包み方をみんなで考える。

もう一つ重視しているのは、子どもが自分の意見や想いを安心して言えるような場をつくること。

何を言っても否定されれば、自分に対する自信をどんどん失ってしまう。その状態が続けば、人生に喜びや楽しさを見いだせない大人になるかもしれない。子どもたちが健全な自己肯定感や他者への配慮を涵養（かんよう）するためには、意見を受け入れてもらえるような環境が不可欠。そう考えている。

国語・算数・理科・社会のような教科はない。ただ、果物の木を植える時に名前を書いた看板をつくったり、カロリー計算や拾った木苺の分配を通して四則演算を勉強したり、勉強の要素を体験の中に自然な形で織り込む。それがみっけのスタイルだ。

14時30分に「終わりの輪」を開き、その日の出来事を振り返る。学年の概念はなく、1年生から6年生までが一緒に活動する。

子どもの意見を尊重するという点は、ねっこぼっこも重視している。スタッフの人数や天候でできないこともあるが、基本的には「子どもが今したいこと」を最大限、尊重する。

通常の保育園はお昼の時間、お昼寝の時間など大まかにスケジュールが決まっているものだが、子どもが何かに没頭しているのであれば、昼ごはんも強制せず、子どもを見守る。

取材で訪れた日は小雪がちらつく寒い日だったが、ボコボコのフィールドには、ドロケイ（鬼ごっこの一種）に夢中になる半袖、裸足の子どもたちの姿があった。

他の子どもも、スタッフが見守る中、園舎でミニカーで遊んだり、鉈で木の棒の皮をむいたり、思い思いに過ごしている。

「みっけ」と「ねっこぼっこ」が生まれた理由

みっけもねっこぼっこも、都会でイメージするような学校や保育施設ではない。とりわけみっけは、〝普通〟の小学校ではない。ところが、いずれも保護者の評価はすこぶる高い。

みっけは週5日制の学校で、学費も年間で約60万円と私立小学校並みだが、2023年4月時点で15人の生徒が通っている。

ねっこぼっこも、過保護な親が見れば卒倒しそうな環境だが、10人の園児が通っており、ここに通わせるためにわざわざ神山に引っ越してくる人もいるほどだ。

「一般的な幼稚園ってクッション材が敷いてあって、転んでも痛くないというのが当たり前だと思うんですけど、危険なことも含めて学んでほしいから。危険察知能力とかを身につけてほしい」

娘をねっこぼっこに通わせている母親は言う。


神山まるごと高専の開校に沸く神山だが、新しいプロジェクトは何も高専だけではない。神山ではこれまでにも様々なプロジェクトが生まれたし、足元でも様々なプロジェクトが動いている。

それでは、なぜ神山ではプロジェクトが次々に生まれるのか。

その問いの答えを考える上で、みっけとねっこぼっこが誕生したプロセスをたどるのは、意味のあることだと考えている。2つのプロジェクトが立ち上がった裏側に、神山ならではの理由があると感じるからだ。

まずは、みっけが誕生した経緯を見ていこう。

神山と出会ったらんぼう夫妻の夢

みっけを立ち上げたのは、松岡美緒、上田直樹・麻衣夫妻、藤本直紀、中村奈津子という5人の移住者だ。

そもそもの発端は、子どもが自然の中で学べる場をつくりたいという「らんぼう」こと上田直樹と、妻・麻衣の想いである。

札幌出身のらんぼうは大学時代、小樽をベースに「車夫」を務めていた。人力車に観光客を乗せて観光地を案内するバイトである。ところが、23歳の時に靭帯（じんたい）を断裂。のめり込んでいた人力車による観光案内ができなくなってしまった。

その時に、たまたま見かけたピースボートの広告。「旅に出たい」と思っていたらんぼうは、地球一周の船旅に強く惹かれた。

ところが、当時のらんぼうには１３８万円の参加費が払えない。それでもあきらめられなかったらんぼう。話だけでも聞こうと連絡を取ると、ポスターをいろいろなところに貼れば、3枚ごとに１０００円を割り引いてくれるという。

人力車の観光案内で体力仕事と声掛けに慣れていたらんぼうは、最終的に１６００枚のポスターを貼り、約50万円引きで地球一周の船旅に参加した。２００５年のことだ。

ピースボートで訪れたアフリカでの体験に加えて、伝統文化に誇りを持って生きるマサイ族やネイティブ・アメリカン、その後の旅で出会った様々な部族や美しい海を守るために行動する人々の姿に心を打たれたらんぼうは、「あーすガイド」の屋号で体験ツアーを企画・実施する活動を始めた。

その後、山口県祝島を中心に、ケニアや西日本で自然と共生した生き方を学ぶ体験学習ツアーなどを実施するとともに、2016年には世界で最も苛酷なマラソンとも言われるチリの「アタカマ砂漠マラソン」に、素人10人で出場。全員完走&優勝の快挙を成し遂げた（この挑戦は「LIFE TREASURE」というドキュメンタリー映画になった）。

みっけで「冒険」を担当しているように、生命力と体力にあふれた、自然と人間を愛するナイスガイである。

一方の麻衣も、旅を通して自然と共生した暮らしを考えてきたという点で、らんぼうに似ている。

20代前半に仕事を辞めた後、沖縄やハワイで暮らした麻衣。とりわけハワイ島のジャングルで経験したオフグリッド生活が与えた影響は大きく、自然の循環の中にある「食」の世界に目覚めた。帰国後は、野草など自然の素材を活かした料理を伝えるため、日本各地を回る生活を始めた。

らんぼうとは、その旅の終わりに出会ったという。

そんな夫妻が神山に移住したのは2014年12月。二人が神山とつながったのは、ちょっとした偶然だった。

それまでの旅生活に一区切りをつけ、どこかに定住しようと考えていたらんぼうと麻衣は、水がきれいで自然豊かな田舎で暮らそうと、家を探し始めた。

「それこそ全国で考えていました」

麻衣は打ち明ける。

その二人が神山に来たのは、たまたま神山在住の知人がいたから。家探しも兼ねて神山に遊びに行くと、知人はグリーンバレーの岩丸潔の家に居候していた。

「岩丸百貨店」と呼ばれる洋品店を経営する岩丸は、大南などと一緒にグリーンバレーを立ち上げた神山の最重要人物の一人。

移住希望者を気軽に自宅に泊める上に、町になじむよう毎晩のようにお店の中で飲み会を開くため、「神山のお父さん」と慕う移住者は多い。

移住者、特に若者が神山に居着く要因の一つには、間違いなく岩丸の存在がある。

そのまま岩丸百貨店での飲み会に参加することになった二人はその席で、「実は、住むところを探しているんです」と岩丸に告げた。

すると、「今、200人待ちやで」とニヤッとした岩丸は、「隠し球があるんやけどな。明日、見に行くか？」と言った。

そして翌日、物件を見に行くと、物件の大家である上本政史を紹介された。

虫や雑草を敵とせず、無農薬の野菜を育てる自然農を実践するかたわら、徳島市内で自然食品店を経営している人物である（後にみつけのフィールドや畑も上本から借りることになる）。

その場で「家賃はいくらがいい？」と上本に聞かれたため、恐る恐る「1万円でいかがでしょうか」と答えると、それでOKだという。その上、建物も好きなようにいじっていいとなると、断る方が難しい。

「らんぼうさん、今日決めたら入れるわ」という岩丸の言葉を聞いて、二人は神山移住を即決した。

「敷地から地下水が湧いて、家賃は月1万円でよくて、大家さんは自然農法を実践している仏様みたいな人。しかも、移住者が増えている神山の様子も見ることができる。もうここしかないという感じでしたね」

そう、らんぼうは振り返る。

実は、神山に来る少し前、麻衣が大阪の占い師に運勢を占ってもらったことがあった。その時の託宣は「神山に行け。神山に行けば、今まで点だったものがつながり円となる」。神山の存在を知らなかった麻衣はその言葉をすっかり忘れていたが、一緒に行った友人が「あの時の場所じゃない？」と驚いて思い出したという。

そして、神山に住み始めたらんぼう夫妻。実は、その頃から子どもが森の中で元気いっぱいに遊べるような場をつくりたいと思っていた。実際、「森のようちえん」と題して、神山の山の中で子ども向けの体験イベントを開いたこともある。

ただ、あくまでも漠然とした願望であり、学校をつくろうとまで考えていたわけではなかった。それが「やるべきもの」になったのは、「自分たちがつくった学校に通いたい」という長男の一言である。

オルタナティブスクールの存在を知っていた夫妻は、子どもが小学校に上がるタイミングで、長男をそういう学校に入れたいと思っていた。しかし、神山にはオルタナティブスクールがないため、神山を出て、他の地域に移住することも検討していた。

その中での長男の一言。「背中を押されました」と夫妻は口を揃える。

もっとも、実際に自分たちでやろうと決めるに至ったのは、一人の女性との出会いがあった。現在、みっけの代表を務めている松岡である。

「それまでも考えていたけど、美緒ちゃんがいれば、できそうな気がしたんです」

パーマカルチャーの実践者、松岡美緒

松岡が神山に来たのも、偶然である。

英国の大学院で国際開発学を学んだ後、国際NGOでパキスタンにおける平和構築のプロジェクトに関わった松岡。その後、南アフリカでパーマカルチャーの考え方に触れた彼女は、カリフォルニア州バークレーにあるエディブル・スクールヤードの存在を知った。

パーマカルチャーとは、Permanent（パーマネント：永続的な）、Agriculture（アグリカル

チャー：農業）を組み合わせた造語で、サステナブルな循環型農業を軸に、人と自然がともに豊かになるような関係性を構築する生き方、暮らし方、手法のこと。

エディブル・スクールヤードとは、米国初のオーガニックレストラン「シェ・パニース（Chez Panisse）」を開いたオーガニック料理の生みの親、アリス・ウォータースが立ち上げた組織だ。

学校の敷地で食物を育て、命のつながりを学び、みんなで調理して食べるという食育を実践するために設立された。バークレーでは、すべての公立小中学校に菜園があり、食を学ぶ授業が必修科目になっている。

「食べられる学校菜園」の概念に感銘を受けた松岡は、千葉でパーマカルチャーを実践しているフィル・キャッシュマンの下でパーマカルチャーを学ぶ。同時に、エディブル・スクールヤードの教育者向け研修を履修。

その後は、エディブル・スクールヤードの授業を小学校向けに企画・運営している一般社団法人エディブル・スクールヤード・ジャパンのゲスト講師として、東京の小学校で授業を行ってきた。

そんな松岡が神山を訪れたのは2019年6月のこと。

第3章で詳しく触れるが、神山にある県立農業高校、城西高校神山校の学校設定科目「神山創造学」の講師として呼ばれたことがきっかけだった。

そこで神山の魅力に触れた松岡は、パートナーのジェローム・ワーグとともに移住を決めた。ワーグは「シェ・パニース」の総料理長として腕を振るった人物である。

「私たち二人が知っていて、自然豊かなオープンなところとなると神山かな、と。その後、『楽音楽日』の宮城（愛）さんのところに1週間居候させてもらって家を探しました。他にもいろいろな地域を見ましたが、神山ほどオープンな地域はなかったですね」

そう松岡は振り返る。

神山に移住した松岡は、すぐにらんぼう夫妻と親しくなった。そして、3人で地域の子どもを対象に放課後学校を始める。

月曜日の放課後15時30分に集まり、神山の山の中を走り回るトレイルランニングクラブである。

この活動を続ける中で、季節を感じる暮らしや持続可能な生活、地球環境を考える学校をつくりたいという気持ちが芽生え始めた松岡。

「こんなに楽しい時間が毎日あったら最高だね」と理想の学校について議論を始めた3人は、もう一人の移住者に声をかけた。みっけで「ものづくり」を担当している藤本直紀である。

アパレルメーカーやレザーグッズメーカーに勤めた後、FABLAB鎌倉（一般社団法人国際STEM学習協会）の研究員として、キッズプログラムの立ち上げに携わった藤本。鎌倉の自宅で教室を運営したり、国内外でレーザーカッターを使ったワークショップを開催するなど、手仕事のものづくりを得意とする人物である。

そんな藤本が神山に移住したのは、２０１8年3月のこと。妻が神山とつながりがあり家族で移住することにしたのだ。

神山では服飾関連の経験を活かしてオーダーメイドの洋服をつくったり、地域の人向けに月1回の縫い物のワークショップを開いたり、サイズアウトした子ども服の交換会を開催したり、様々な活動をしている。

そんな藤本に一大事が起きる。長男の不登校である。

「夏休みが明けた後、上の子が学校に行かなくなってしまったんです。初めのうちは『頭が痛い』と言うから、『じゃあ、今日は休んどくか』と。それが続き、どうしても学校に行けなくなってしまって」

もちろん、学校や役場に相談した。心療内科にも連れて行ったが、状況はちっとも良くならない。

神山移住後に妻と別れた藤本は、二人の子どもを育てるひとり親。自身の仕事もあるため、不登校の子どもの居場所を探して通わせていたが、毎日、40分～50分かけて徳島市内まで連れていくのは難しい。自分自身で息子の居場所をつくる以外にないと思い始めていた。

「この生活は、正直無理だなと感じていました」

「毎日やると100倍楽しいよ」

らんぼうと松岡から学校づくりの話を打ち明けられたのは、その時である。

「オルタナティブスクールに興味ある？」

「ある！　ちょうど自分で居場所をつくろうと思っていたから」

「今、美緒ちゃんとそういう話をしているんだよね。一度、話をしよう」

不登校になった長男だが、らんぼうと松岡のトレランクラブには時々通っており、息子ともども二人とは親しくしていた。それで声をかけたのだろう。2021年4月の話だ。

その後、藤本を加えた4人は、2週間に1回、ごはんを食べながら構想を練り始めた。

「全国の事例を調べて共有したり、理想の学校を語り合ったり。みんなのイメージを膨らませる段階でしたね」

そう藤本は振り返る。

既にオルタナティブスクールを始めている人の事例を学ぼうと、神奈川県逗子市や千葉県佐倉市で子どもと大人の「遊ぶ場」をつくっている原っぱ大学や40年以上の歴史を持つホールアース自然学校にも話を聞いた。

話し合うばかりではなく、行動にも移している。

最初のアクションは、コロナ禍の2021年5月に実施した自然体験イベントだった。

この年の大型連休は新型コロナウイルスの影響で、図書館など公共施設の閉鎖が決まっていたが、子どもが休みの間、ずっと家にいるのも親にはつらいもの。そこで、大型連休中の2日間、自然体験イベントを開催することにした。

実際に子どもを預かって見えた反省点も多々あったが、イベント自体は大成功。

自分たちの目指している方向に間違いはないと自信を深めた4人は、活動を継続させるために、関連する助成金を申請。自然体験イベントを月1回の定期的な活動にすることにした。

2021年9月。らんぼうの友人で、山口県平生町で保育施設「こびとのおうちえん」と小学生を対象にしたオルタナティブスクール「地球子舎（てらこや）」を運営している大下充億（あつお）を神山に招いたことで方向性が決まる。

「イベントとして自然体験教室を開くのも楽しいけれど、毎日やると100倍おもしろいよ」とキラキラした目で語る大下の言葉にワクワクして、2022年4月に、全日制の学校を開くことにしたのだ。

このタイミングでみっけに加わったのが、5人目の中村奈津子である。

埼玉県出身の中村。教員になるため、大学で教員免許の取得を目指していたが、教育実習の中で既存の学校教育に疑問を抱き、教職に就くことをやめた。その後、様々な教育機関を回る中、徳島県阿南市にあるトエックに出会う。

１９８５年に誕生した「自然スクールトエック」は、幼児向けや小学生向けの自然スクールを運営するＮＰＯ法人。田んぼや畑が広がる農園の中で、子どもの好奇心をベースに、数多くの自然体験プログラムを提供している。

教育方針は、ほめず、叱らず、認める。子どもの主体性を尊重し、農園を通して四季折々の農的な暮らしや生命の循環を感じ取る活動を続けている。立地や環境は違うが、みっけが目指している一つの姿である。

この教育方針に惚（ほ）れ込んだ中村は、7年間、スタッフとしてトエックに関わった。そんな中村がみっけに参画したのは、30歳を前に新しい挑戦をしたくなったから。次のキャリアを考え始めた時にたまたまみっけの話を聞き、スタッフとして加わることになった。

「地域に開かれた教育をしたいなと思っていて。神山であればできそうな気がしたんです」

法人の代表で資金集めやマネジメント全般を担う松岡、冒険担当のらんぼう、食担当の麻衣、ものづくり担当の藤本、オルタナティブスクールで働いた経験を活かしてスタッフの研修や安全管理、保護者を含めたコミュニティづくりなど運営全般で代表の松岡をサポートする中村という、5人のチームが完成した瞬間である。

その後は、２０２２年2月から3月にかけて、校舎の建設費用など開校資金を集めるためのクラウドファンディングを実施。６００万円の予定を上回る、７２０万円あまりの支援を受けた。

校舎は開校に間に合わなかったため、4月の開校後、しばらくは校舎なしで活動した。雨の日もカッパを着ての屋外活動だった。

生徒の募集もSNSや口コミが中心だったが、国内外から問い合わせが相次ぎ、2022年4月の開校時点で13人の子どもが入学した。

2期目を迎えた今は、定員に近い15人が在籍している（2023年4月時点）。

神山においても、みっけのようなオルタナティブスクールが求められている証左だろう。

みっけに子どもを通わせる親の理由

みっけは、神山まるごと高専のような国の認可を受けた学校ではない。教えている内容も、国語・算数・理科・社会という一般的な小学校のカリキュラムとは大きく異なる。それでも、みっけは移住者を呼び寄せる新たな磁力になっている。

例えば、長女をみっけに通わせている武久敬洋・依莉子（えりこ）夫妻の場合は、娘の不登校がきっかけだった。

東京の公立小学校に通っていた長女が学校に行きたがらなくなったのは、小3の秋のこと。運動会でみんなで演じる踊りの練習がどうしても嫌で、体育の授業に出たくないと言うようになった。もともとみんなと同じことを強制されることを嫌がる性格。前年の運動会でも、練習では他の子と同じ動きができず、家で必死に練習していたという。

最初は依莉子も「ちゃんと学校に行った方がいいよ」と登校を促していたが、娘は大泣きして家から出られない。その状況が続く中、「不登校でもしょうがない」と依莉子も考えるようになっていった。

「学校は行くものだと考えていたので、正直、葛藤がありました。目の前に大泣きしている娘がいるのですが、ただの甘えなんじゃないかと思う自分もいて」

その年の冬休み。「子どものために環境を変えた方がいいのではないか」と考え始めた依莉子は、東京から九州と北海道に移住した友人のところに遊びに行った。すると、生き生きと走り回る本来の娘がいた。小学校に入る前の娘の姿である。

この子には自然が必要なんだ——。

そう確信した武久夫妻は、地方への移住を決意。偶然、ネットで見つけたみっけの自然体験スクールに娘と参加したところ、他の学校を見に行った時とは異なり、娘は「絶対、ここに行く」という強い意志を示した。

こうして神山への移住を決意した武久夫妻だが、当初は神山で家が見つからなかったため、徳島市内にある夫の実家からみっけに通わせた。

神山で暮らし始めたのは、家が見つかった2022年5月である。

「小学校でやるべき勉強をしなくていいのかと、最初はだいぶ迷いました。でも、みっけに通わせているうちに、全然問題ないと思うようになりました。机に向かって先生の話を聞くのは、あくまでも勉強の一つの形。体験を通して、必要に応じて学ぶという別の方法があってもいいんだ、と」

「運動会の踊りも、当時は『できてよかったね』と結果だけ見て安堵(あんど)していましたが、娘はみんなと同じようにしたい気持ちと、なぜこんなことをしなければならないのかという疑問の中で葛藤していたんだと思います。その気持ちを見てあげることができていなかった」

そう依莉子が語ると、敬洋も言葉を継いだ。

「私も不安でしたよ。ただ、これまでと同じような将来が待っているのなら今の教育でもいいのかもしれませんが、20年先の世界はきっと変わっています。その時代に大人になる子どもたちに対して、今のような型にはめる教育でいいのか。そう考えると、子どもの生きる力を養う学校の方がいいかもしれない。みっけのような学校を出た子どもがそのまま成長できるような社会になってほしいと思います」

大手医療福祉グループを経営する敬洋は今、神山で新しいビジネスを立ち上げようと考えている。高齢者向けの遠隔医療サービスである。

高齢化率が50%を超える神山町では、高齢者向けの医療福祉サービスに対するニーズが根強い。ただ人口が5000人に満たず、人口密度が低い神山町では採算ベースに乗せることが難しい。そこで、高齢者医療や介護福祉に関わるグループの専門家を活用した遠隔医療サービスを提供しようと考えているのだ。

「おかげさまで、神山に来てから娘は自信を取り戻しました。僕は恩義を感じているので何か恩返しがしたい」

そう敬洋は語る。

新しいプロジェクトが移住者を呼び寄せ、その移住者が、新しいプロジェクトを考え始める。そして、また新しいプロジェクトが生み出されていく――。

プロジェクトを生み出す神山の〝濃さ〟

開校から10カ月が経った2023年2月半ば、松岡にこれまでの10カ月を振り返ってもらうと、保護者と一緒につくっている感覚があるという。

「最初はどこまでこちらでやり、どこまで保護者が関わるのか、その関係に迷いがありました。でも2学期になると、保護者がいろいろな形で関わり始めてくれて。今はとてもいい関係になっているように感じています」

2023年2月、社会科見学として神山町のゴミ処理施設に行った。ある保護者が、ビーチクリーンで集めたゴミの観察会を開いてくれたことがきっかけだ。

その後、マイクロプラスチックに関心を持った子どもたちは通学路のゴミ拾いを始めた。その時も、煙草（たばこ）の吸い殻を拾うために竹でトングをつくったり、ポイ捨てをしないよう注意喚起するため、ゴミを拾う時にメッセージを書いた看板を掲げたり、子どもたちのアイデアでどんどん活動の幅が広がっていった。

何かのきっかけで膨らんだ子どもの好奇心をベースに、様々な体験活動につなげていく。これこそが、みっけの目指している形だ。

「学校というものは下手をすると、サービス提供者と消費者という関係になる。それはトラブルの元ですよね。その点が不安でしたが、今はいい感じで一緒につくれている感覚があります」

そう松岡は言う。

みっけが生まれた経緯を振り返ると、神山は社会に対して何かしらの問題意識を持っている人の密度が濃く、何かをしたい人同士が出会いやすい環境だといえる。

もちろん、東京や大阪のような大都市にも松岡やらんぼうのような人は大勢いるが、神山は人口5000人に満たない小さな町。人が集まるような場所も限られているため、出会う確率が都会よりも高く、結果として、知り合った人同士が一緒に何かを始めていく。

この〝濃さ〟が、プロジェクトが生まれる一因と見ている。

それでは、何かをしたい人は、なぜ神山に集まるのか。

この点は本書の全体を通して明らかにしていくテーマだが、人が人を呼ぶ好循環が生まれていることと、神山に移住者が入る経路が多様であることが大きな理由だと感じている。

人をチャレンジに駆り立てる神山の空気

もう一つの教育プロジェクトであるねっこぼっこは、なぜ生まれたのか。

子どもの教育について問題意識を持つ人が出会い、集まり、一つのプロジェクトに昇華したみっけと同じように、ねっこぼっこの背景にあるのは保育に対する清家の情熱である。

ただ清家の場合、みっけの5人と比べれば、ゼロからイチを生み出す「ゼロイチ成分」はそれほど強くは感じない。

当の清家も「僕はずっと組織にいたいタイプで、自分で何かを立ち上げるようなタイプじゃないんですよ。一生、会社員でいるつもりでしたし」と語るなど、いわゆる起業のにおいはあまりしない。

それにもかかわらず、清家が保育園をつくることになったのはなぜか。

そこには、人をチャレンジに駆り立てる神山の空気がある。

清家が神山に移住したのは2018年3月。ダメ元で応募した大埜地（おのじ）の集合住宅に、当選したことが直接の理由だった。

第3章で詳述するが、大埜地の集合住宅は神山町と町の第三セクター、神山つなぐ公社が建設した神山の賃貸物件である。

大阪で保育士や飲食店の従業員として働いていた清家は、子どもが生まれたのをきっかけに、田舎で子育てをしようと奈良など大阪近郊で家を探し始めた。その時に、徳島が移住先の候補に入ったのは、妻の由香理が徳島市内の出身だったため。神山で開催されたアースデイなどのイベントで遊びに来たことがあり、神山の存在も知っていた。

ただ、神山は移住希望者が多く、借りられる家がないという話も聞いていたため、移住希望者が登録するメーリングリストには登録したものの、「どうせ無理だろう」と神山以外で住むところを探していた。

すると2017年の秋、集合住宅の第一期の入居者募集メールが清家の元に届いた。

「こんなん来たで」

「申し込んどこうか」

軽い気持ちで申し込むと、後の清家の活躍を見越したわけではないだろうが、選考委員会の選考を通過し、2018年4月の入居が決まった。

「ヤバい、受かってもうたで、という感じ。すぐに仕事を探しました」

2017年11月の話である。

神山で仕事を探し始めると、株式会社フードハブ・プロジェクトが運営する「地産地食」の食堂「かま屋」の店長候補の求人を見つけた。飲食店で働いていた清家にはぴったりの仕事である。無事、採用された清家は3月末まで大阪で働き、4月からかま屋で働き始めた。

「神山に住むのは無理だと思っていたので、ラッキーでしたね」

こうして神山で新しい生活を始めた清家。その彼が保育園をつくろうと思ったのは、保育園に通うのをぐずり始めた長男の存在がある。

「生涯会社員」を〝起業〟に向かわせたもの

神山に移住した後、2人目となる長男は神山町内の保育園に通っていた。だが、3人目が生まれて妻が家にいるようになると、保育園に行くのを渋り出した。

「母親が家におるなら行かなくてええやんと感じたんだと思います」

「それならそれでOK」とそのままにしていたが、ある時、息子がふと漏らした言葉に衝撃を受ける。

「保育園、父さんが先生ならいいのに」

「保育園の年代は集団で遊びたくなる頃。一人で遊んでいるのを見て、他の子と遊びたいんだろうなと感じることもありましたが、やっぱりそうか、と。息子は僕が保育士だったことを知っていますから。この一言がきっかけになりましたね」

家族の時間をもっと取りたいという清家自身の希望もあった。

かま屋での仕事は充実していたが、イベントなども多く、夜の帰りはどうしても遅くなる。飲食業のため休みも平日で、子どもたちと顔を合わせる機会も少ない。しかも、一番上の長女が小学校に上がれば、友達と過ごす時間がだんだんと増え、家族と過ごす時間は減っていくはずだ。

そもそも清家夫妻が地方での暮らしを考えたのは、自然豊かな場所で家族とともに過ごすため。忙しく過ごしている現状を振り返れば、今の状況はその理想にはほど遠い。

でも、自分で保育園をやれば家族との時間をもっと確保できるかもしれない。そう考えた清家は、保育園づくりを真剣に考え始める。

「また、子どもの命を預かる生活に戻るのか、しんどいなあと思ったのは事実です。でも、思い切ってやろうと」

「生涯会社員」を自認する清家がリスクを取ってチャレンジしようと思ったのは、いくつかの理由があった。

一つは、園舎との出会いである。運よく集合住宅に入居した清家だが、入居後も家探しは続けていた。集合住宅はその中でコミュニティが完結しており、地元の人とのコミュニケーションがあまりないと感じていたからだ。

「田舎暮らしには、ご近所さんがお野菜を分けてくれるというイメージがあるじゃないですか。別に野菜が欲しいわけではないんですが、そういう生活に憧れていて」

すると、2021年5月に、今の園舎の物件情報が回ってきた。

現地を見て、自分が住むよりも保育園のイメージが湧いた清家。特に、裏の山にあるナンテン畑を開墾すれば、最高のフィールドができると妄想が膨らんだ。

「つくろうかな、どうしようかな、と考えている時に、あっ、園舎が出てきたという感じ。この流れに乗るしかないと思いました」

神山で何かを始める人は、自分の周囲で起きている流れに乗ったという人が多い。そして、やると決めると、いろいろなものが転がり込んでくる。彼らのように流れに身を委ねることも、人生をワクワクしたものにする上では重要である。

「園舎に使える」と思ったのは、保護者が保育料の補助を受けられるようにするためには、園舎の存在が必要だったという事情もある。

また神山特有の事情として、チャレンジのコストが低い点も挙げられる。

地方はどこでも同じだが、神山は都会と比べて生活コストが低い。状態にもよるが、古民家の家賃相場は月1万円から3万円。スペックが整っている集合住宅は少し高いが、それでも月5万円に満たない。

加えて、集落で普通に暮らしていれば、野菜やら何やらの「いただきもの」もあるため、贅沢(ぜいたく)さえしなければ、生活コストはそれほどかからない。

それでは仕事はどうかと言えば、スダチや野菜の収穫のような季節バイトに始まり、古民家の片付けや薪(まき)割りなど、細々(ほそぼそ)とした仕事はいろいろある。周囲の人も心配していろいろと紹介してくれるので、稼ごうと思えば何とかなる。

「大阪だったら、建物が見つかっても絶対にやらなかったと思います。ダメだったらどうしようと考えてしまうので。でも、神山なら仮に失敗してもどうにかなる」

失敗しても暮らしていけるという安心感。これは、とても大きな要素だ。

神山に漂う前向きな空気も清家の挑戦を後押しした。

ここまで書いてきたように、神山には「何かしよう」「何かしたい」というマインドを持った人が多い。

本章で書いたみっけの5人はもちろんそうだし、第4章で紹介するB&Bオニヴァ&Experienceの齊藤郁子やえんがわオフィスとWEEK神山を建てた隅田徹、なんでも屋の「よろずや万結屋（まんきつや）」を始めた佐々木敬太、美容室兼ライブハウス「Garden of the forest」を山の上にオープンした阿部晃幸、農林漁家民宿「moja house（もじゃハウス）」を開いたもじゃ（北山歩美）、「何でもそこそこ幅広く」という新しい働き方を実践する野原洋介もみんなそう。

こういう雰囲気の中にいれば、自分も何かしようと思うのも自然なことだろう。

そして何よりも重要なのが、サポートしてくれる人々の存在である。

清家が気に入ったナンテン畑は10年以上も放置されており、ぼうぼうになっていた。このナンテンを切り、根っこを抜くのは、実のところ大変な作業だった。

「僕もこの物件を見ましたが、ナンテン畑がもうすごくて。あれを抜いてきれいにするには10年はかかると思いました」

清家と同じ移住者で、ねっこぼっこのスタッフの一人である山下実則は言う。

とても重機が入れる環境ではないため、最初、清家は植木ばさみでカットしていたが、あまりの量にすぐにギブアップ。友人に刈払機も借りたが、うまく使えず途方に暮れていた。すると、清家の窮状を聞きつけた神山の友人や入園予定の保護者が集まり、刈払機や耕耘機でナンテン畑の整地を手伝ってくれた。

「友達に借りた刈払機をうまく使えず、途方に暮れた時に来てくれたのが洋ちゃん（野原洋介）でした。その後も、敬太くん（佐々木敬太）が来てくれたり、フードハブで一緒だったOrononoの松本夫妻が手伝ってくれたり。みんなが助けてくれなければ、気持ちが折れていましたね」

神山で新しく始まるプロジェクトを見ると、友人・知人や地域の支援が重要な役割を果たしていると感じることが少なくない。

例えば、本章の前段で述べたみっけのフィールド。

もともとは棚田だったが、長年、放置されていたため、木が何本も生えている状況だった。その木を切り、整地するのは容易ではないが、それを手伝ってくれたのは、長年森林組合に勤めていた地元の住民である。棚田の敷地やみっけが使用している神山温泉の裏の畑にしても、らんぼうの自宅の大家である上本政史がこころよく貸してくれた。

それまでの人間関係があるからこそのサポートだが、すべてを自分たちでやるとなると、今以上に手間やコストがかかっただろう。

同じような話は枚挙にいとまがない。

例えば、神山の小さなビール醸造所である「神山ビール」。趣味のビールづくりが昂（こう）じてビール醸造所をつくろうと考えたマヌス・スウィーニーとパートナーの阿部さやかは、日頃親しくしている「コットンフィールド」の森昌槻に相談した。

すると、森はキャンプ場の敷地を醸造所の場所として貸してくれた上に、海外の建築家が描いた建設図面の翻訳など、実際の建設作業まで手伝ってくれた。こうした地域のサポートも、チャレンジのコストを下げている。

みっけとねっこぼっこの成り立ちを見ていくと、神山でプロジェクトが立ち上がる要因として、「何かをしたい」という想いを持った人が高い濃度で集まっていること、生活コストが低いこと、チャレンジのコストが低いことの3つが挙げられる。

それが「自分も何かしたい」「できるかもしれない」という神山特有のクリエイティブな雰囲気を生み出している。

みっけ、ねっこぼっこと教育関連のプロジェクトが立て続けに始まったのは、子育て世代の移住者が増え、子どもの教育が神山の中で重要なイシューになっている裏返しだろう。

この後、介護など別の問題が地域の社会課題になれば、そうしたプロジェクトが立ち上がるに違いない。

ねっこぼっこの清家は今、自分が理想だと考える保育を実現しようと奮闘している。

2023年2月、ねっこぼっこのフィールドを訪れると、ドロケイに夢中になっている子どもたちがいた。清家やスタッフの山下も子どもと一緒になって走り回っている。いや、それどころか、子どもたちに率先して土の上に寝転んでいる。

途中、捕まりそうになった子どもが突然「木の術！」と叫び、木に変身して捕まるのを回避していた。木だから人ではないという理屈だ。その後、警察役だった清家がドロボー役になり、同様に木の術を使ったところ、問答無用でお縄となった。

「そんなんなしやろ。ずるいわ！　さっき、木の術、使ってたやん」

だが、そこは子どもを最大限にリスペクトする清家である。子どもがつくったルールに従って「牢屋（ろうや）」に歩いていった。

そうこうしていると、寝転がった時に背中をぶつけて大泣きし始めた女の子がいた。すぐに駆けつけると、「どれ、見せてみ」「これは痛いな。痛い時は泣いてもいいんやで」と言って女の子を抱き上げた。

「これまでの保育とは逆のことをしているので、これでいいのか、自信は全然ないんです」

ワイルドな環境で保育しているだけに、日々、いろいろなことが起きる。

それでも、子どもの安全を第一に、子どもの世界にとことん付き合う清家の姿を見ていると、彼の理想とする保育は既に実現しているように感じた。

第3章

プロジェクトをブーストした官と民のコラボレーション

神山まるごと高専の設立記者会見に出席するため、私がおよそ5年ぶりに神山を訪れたのは、2019年6月のこと。

その時は、記者会見を取材するだけの弾丸出張だったが、久々に会った大南の案内で町を回ると、だいぶ風景が変わっていることに気づいた。

私がかつて神山を訪れていたのは、主に2011年から2014年の初めにかけて。ワーク・イン・レジデンスで神山に来た移住者や神山塾の若者、Sansan のようなサテライトオフィスの誘致企業が増え始めた時期だ。

視察と言えば、「Sansan 神山ラボ」の他、放送局向けのアウトソーシングなどを手掛けるプラットイーズの「えんがわオフィス」、築150年の造り酒屋を活用した「カフェ・オニヴァ」、閉鎖されていた縫製工場を改修したワークスペース「神山バレー・サテライトオフィス・コンプレックス」などが定番だった。

それがどうしたことか。知らないお店や施設がさらに増えている。

神山の地ビールを製造する「神山ビール」、自家焙煎（ばいせん）のコーヒーが人気の「豆ちよ焙煎所」、元魚屋の空き店舗を活用した「魚屋文具店」、鮎喰川を望む眺望が素晴らしい宿泊施設「WEEK神山」、森の中に手づくりで建てられた「オニヴァ山の森のサウナ」、3Dプリンターやレーザーカッターなどが揃うデジタルファブリケーションの拠点「神山メイカースペース」、地元住民や移住者が訪れる「ラーメン居酒屋 どちらいか」に「めし処 萬や山びこ」――。どれも、私が知っていた神山にはなかったものだ。

なくなったお店もあるけれど、それ以上に新しいお店や施設が続々と生まれている。

神山の「地産地食」を牽引する新しい拠点

中でも、一際目を引いた存在が「かま屋」と「かまパン&ストア」だった。

かま屋とかまパンは、神山に本拠を置く株式会社フードハブ・プロジェクトが運営する食堂とパン店。国道沿いにある白い建物は、以前は閉鎖された電子部品工場の建物だったという。目の前の国道は何度も行き来していたはずだが、全く記憶にない。

中を覗くと、ランチをとる人で50席近い食堂はいっぱいになっていた。平日は移住者や地元住民、休日は徳島市内など遠方からもお客が来る。今も、かま屋に行けば誰かしらの知り合いに会う。それだけ地域の「ハブ」になっているということだろう。

フードハブ・プロジェクトは地域の農業の継承と〝地産地食〟を進めるため、2016年4月につくられた。

神山にサテライトオフィスを出している株式会社モノサスと神山町、神山つなぐ公社の共同出資で設立された。いわば第三セクターとしてつくられた半官半民の企業である。

彼らが目指しているのは、地域に貢献する「社会的農業」の実践。産業化が進む以前、農業は暮らしと密接に結びついており、田畑の草刈りや水路の掃除なども、集落の人同士が助け合いながら進めていた。中山間地の美しい景観を形づくってきたのは、そういう日常の営みである。

ところが、今は農業と暮らしが切り離され、神山のような中山間地にあっても、生産者と消費者、あるいは農業とそれ以外に分かれてしまっている。

フードハブが掲げる社会的農業という言葉には、暮らしと密接に結びついた農業を再び取り戻すとともに、地域の食文化や農業がもたらす景観、農業に従事する人を育てるという意味が込められている。

日本の中山間地が直面している現状に対する、神山としての回答だ。

かま屋は、そのための舞台である。

営業時間は平日11時～16時、土日祝日は8時半～10時と11時～18時で、ランチやカフェが主体。神山の旬の食材を活かした週替わりの定食と、季節のフルーツや野菜を使ったデザートやドリンクが基本だ。

例えば2023年1月12日の週の献立は、ニンジンと春菊のサラダ、ケールチップス、季節の野菜スープ、釜炊きコリアンダーごはん、ニンジンのローストを添えた鯛のポワレ。

次の1月19日の週の献立は、カラフル大根サラダ、椎茸ロースト、サツマイモスープ、釜炊きごぼうごはんに、ニンジンピューレを添えたすだち鶏のチキンキエフ（キエフ風カツレツ）。いずれも素材の味を最大限に引き出すシンプルな味つけだ。

かま屋では、神山産の食材をなるべくたくさん使用するため、メニューごとに「産食率」を出している。

産食率とは、地域で育てた食材がどれだけ地域で食べられているかを示す指標。国が定める自給率のようなカロリーや生産額を基にしたものではなく、「食材品目数（町内産）÷食材品目数（合計）」で算出している。

ちなみに、1月12日の週と19日の週は冬場ということもあるのか、産食率は若干低めの58％だった。神山産の野菜などが多い場合は産食率が90％に達することもある。産食率はその週のメニューで変動するが、季節の素材を活かすなどして、できるだけ高い産食率を目指している。

食材は、フードハブが運営する「つなぐ農園」の他に、つなぐ農園で研修した後に独立した生産者や、神山で有機農業を実践している生産者グループなどから調達している。

つなぐ農園はフードハブがお米や野菜、小麦などを栽培している農地で、高齢化で農業を続けられなくなった人の農地や耕作放棄地、あるいは耕作放棄地になりそうな農地を借り受け、フードハブの社員や研修生が生産にあたっている。

もう一つのかまパン＆ストアは、神山で育てた自家培養発酵種（天然酵母）を用いたパンの製造と、地域の素材をベースにした無添加調味料や野菜、酒など、日常的な食料品の販売がメインだ。

パンの方は神山町産の小麦粉が限られている上に、パンづくりにはあまり向かない品種のため、町内産小麦だけでパンを揃えることは現実として難しい。それでも一部のパンに混ぜたり、米粉や野菜をふんだんに使用したりするなどして、神山の素材を活用している。

一番人気は自家培養発酵種を使った「いつもの食パン」。もっちり、ずっしりした食感は神山で育てた天然酵母のたまもの。日常に根ざしたシンプルな食感は毎日食べても食べ飽きない。

なお、かま屋という名前は神山の家々にあった土間に由来している。

その昔、神山の家々には「かまや」と呼ばれる土間があった。そこには米を炊く釜（かま）があり、近所の人がふらっと立ち寄っては世間話に花を咲かせていた。地域の人が気軽に立ち寄れるお店になるように「かま屋」と名づけた。

神山の「食」のハブとなったフードハブ

農業の継承を掲げるフードハブは、農業者の育成にも力を入れている。事実、「つなぐ農園」では、独立を目指す研修生が日々、有機栽培や特別栽培をベースにした少量多品目の農業を学んでいる。

取材に訪れた２０２２年12月に土と格闘していたのは研修生の松村静香。福井県出身の松村は地元の飲食店で働いていたが、日本酒づくりに関心を持ったことをきっかけに、年齢を重ねても続けることのできる仕事として農業に関心を持った。

実は、別の地域の酒蔵で働くことが決まっていたが、フードハブが県内の酒蔵と一緒にオリジナルの日本酒を製造していることを知り、「ここなら米の生産から日本酒づくりにも携われる」と考えた。

また以前からカリフォルニア州バークレーで「シェ・パニース（Chez Panisse）」を開いたアリス・ウォータースの考え方に惹かれており、総料理長を務めたジェローム・ワーグが神山にいるということも、松村が神山で農業をする一つのきっかけになった。神山町鬼籠野（おろの）地区で農業を営む「Oronono」の松本直也・絵美夫妻も、フードハブの卒業生である。

研修生に農業を教えているのは、地元の農家に生まれた共同代表兼農業長の白桃薫やその父で最高農業指導責任者を務める白桃茂など。今は白桃薫やフードハブの従業員、研修生などを中心に、約5ヘクタールの農地で葉物野菜やニンジン、キウイなどを生産している。

設立から7年。フードハブ・プロジェクトは、文字通り、神山の食のハブになりつつある。神山町内の小中学校（小学校2校、中学校1校）の給食230食は、フードハブが提供している。町外の業者に委託していた時は残食率の高さに悩まされていたが、フードハブに切り替えたところ、食材やメニューは変えていないのに残食率が半分以下になった。

生徒が食べるのは、調理した1時間後。それを想定した調理方法に変えたことが、残食率の減少につながったという。

２０２３年4月からは、神山まるごと高専の学生向けに食事を提供し始めた。

第1章で触れたように、高専の業務を請け負うにあたっては一悶着（ひともんちゃく）あったが、初年度は朝昼晩、それぞれに学生向け44食、教員や職員を合わせて約80食を提供する。

神山まるごと高専の5学年すべてが集まる4年後には、１日あたり５００食以上になる。

「経営的にはリスクもありますが、生産者の売り上げが担保されるのは大きい。今はそのための体制を構築しています」

白桃薫とともにフードハブ・プロジェクトの共同代表を務める真鍋は言う。

真鍋が所属するモノサスは、本業のウェブ制作やマーケティングの他、企業やオフィスに社食の企画・運営やランチケータリングのサービスを提供している。そのチームの協力を得ながら、メニューや調理体制を整えていく。

まちづくりをグリーンバレーに委ねていた

前章まで、神山で続々と生まれるプロジェクトは基本的に民間主導で自発的に起きていると述べてきた。事実、神山まるごと高専もみっけもねっこぼっこも神山ビールも、言ってみれば、移住者や神山に縁のある人が勝手に始めたことだ。

神山の動きをまとめた私の前作『神山プロジェクト』（２０１４年刊行）を執筆していた頃を振り返っても、まちづくりに関する動きはグリーンバレーを軸にした民間サイドが中心だった。

もちろん、サテライトオフィス誘致のベースとなった光ファイバー網の全戸設置は町主導のプロジェクト。「神山バレー・サテライトオフィス・コンプレックス」のような町の施設の運営を指定管理制度でグリーンバレーに委託しており、事実として役場は神山のまちづくりをサポートしている。

それでも、地方創生の雄として脚光を浴びる神山において、10年前は行政の姿がほとんど見えなかった。

その点について、町長（当時）の後藤に尋ねると、「町は寄り添いながら見守っていた」という。「官から民へ」というスローガンが掲げられた小泉政権の時の行政改革以降、公務員の削減が進められた。その中で、新しいことをしようとしても職員が足りずに何もできない。そこで、結果を出し始めていたグリーンバレーに神山のまちづくりを委ねたということのようだ。

その中でも、かま屋を展開するフードハブ・プロジェクトは、民間と行政のコラボレーションで生まれた新しい形のプロジェクトである。

フードハブが典型だが、2015年以降の神山では、グリーンバレーのような民間の組織と行政の連携が進んだことで、民間だけではできないようなプロジェクトが生まれるようになった。それが、神山をさらにブーストさせたのは間違いない。

影の薄い神山町がまちづくりに加わった理由

それまで表に出ることを避けていた町のスタンスが変化したのは、2014年に始まった第二次安倍内閣の「地方創生」がきっかけだ。

安倍政権はバブル崩壊後、15年以上にわたって続いたデフレから脱却するため、「大胆な金融政策」「機動的な財政政策」「民間投資を喚起する成長戦略」のいわゆる「三本の矢」を進めた。

その後、長年の課題であり続けている地方の活性化を進めるため、政権内に「まち・ひと・しごと創成本部」を設置。地方創生を政権の重要政策の一つに掲げた。

その背景には、2014年5月に民間の研究組織「日本創生会議」が発表したレポートの存在がある。

「人口推計を基に考えれば、2040年までに、全国の自治体の半数にあたる896の市町村が消滅する可能性がある」

当時の社会に大きなインパクトを与えたレポートだ。この時、神山町も「消滅可能性都市」の20番目に名を連ねた。そして、安倍政権は都道府県と市町村に、それぞれの自治体の将来人口を予測・分析する「人口ビジョン」と、人口減少や地域活性化の対策をまとめた

「総合戦略」を、2015年度中に策定するよう求めた（努力義務）。

結果、地域創生のための戦略をつくる必要に迫られた町は、グリーンバレーなどが中心になって起こしていたまちづくりの輪に加わっていく。

国に背中を押された格好だが、役場の中にも、神山のまちづくりに関わりたいと思う職員はいた。

当時、総務課の担当として神山版の総合戦略「神山町創生戦略・人口ビジョン」の策定を主導した杼谷（とちたに）学（現・総務課課長補佐）である。

神山町で生まれ育った杼谷は光ファイバーの設置の他、地域おこし協力隊のメンバーとともに、地元の特産品であるスダチの販路開拓や担い手育成を進めるNPO法人里山みらいを立ち上げるなど、影の薄い役場の中でもまちづくりに積極的に関わっていた。

現に、私が前回の書籍『神山プロジェクト』執筆のために神山を取材していた時に、「役所で紹介するなら杼谷さんぐらいしかおらんな」と大南が紹介してくれた唯一の役場職員である。

だが、杼谷が役所の中で動く間も神山の人口は減り、高齢化率も上昇した。町を取り巻く状況が悪化する中、行政としてもっとできることがあるはずという想いを抱いていた。

「僕は、死ぬまでこの町で暮らしていく。ならば、最後の日を迎えた時に『よかった』と思って死んでいきたい。そのためには、もっとワクワクするような町にしていかないと。行政としてもできることはまだまだある、と思っていました」

そして、2015年5月に神山町は「神山町創生戦略」の策定に着手する。

この時、杼谷は従来の有識者を集めた会議ではなく、住民参加型のワークショップ形式を採った。このあたりの経緯は神田誠司著『神山進化論』（学芸出版社）に詳しいが、40代以下の役場職員や住民28人からなるワーキンググループを立ち上げ、その中での議論を通して創生戦略を考えることにした。

40代以下に限定したのは、町の未来を考えるのは将来にわたって町で暮らす現役世代であるべきだと考えたため。実際に策定した創生戦略の担い手を見つけ出すという意味もあった。

従来とは違う体制で創生戦略をつくろうと考えたのは、杼谷のほろ苦い経験が背景にある。

実は、杼谷は創生戦略をつくる数年前に、似たような総合計画の策定に関わった。この時は、従来のやり方、すなわち役所とコンサルがつくった原案を学校の校長や農協の理事長、ＰＴＡ会長、学識経験者などからなる有識者会議に諮り、それぞれのコメントを受けて修正していくという手法を採用した。国や地方自治体が計画をつくる時の典型的なやり方である。

ところが、せっかく労力をかけて策定した計画にもかかわらず、実際には、役場の政策立案の中で、顧みられることはほとんどなかった。

「総合計画があるのに、それとは関係のない動きが突発的に始まったりして。これでは全然意味がないと残念に思っていました」

同じようなつくり方をすれば、同じ失敗を繰り返す──。

そう考えた杼谷は、つくるプロセスそのものを変えようと、ある人物に相談した。神山に移住していた西村佳哲である。

「成り行きの未来」が示したバッドエンド

西村は、グリーンバレーが2008年に立ち上げたウェブサイト「イン神山」を構築した人物だ。神山の移住交流支援を担うことになったグリーンバレーに、手に職を持つ人材を移住者として募る「ワーク・イン・レジデンス」を提案したのも西村である。働き方研究家としても知られており、『自分の仕事をつくる』（筑摩書房）など著書も多い。

西村に創生戦略づくりの相談をしようと思ったのは、神山町のウェブサイトを西村に依頼した時に、彼のファシリテーション能力や合意形成に導く能力を目のあたりにしたからだ。

「西村さんに相談すれば、これまでとは違う計画ができあがると思ったんです」

西村はワークショップ形式での議論を提案。役場が素案をつくらず、参加者が自由に意見を出し合う形で創生戦略の中身を詰めていくことになった。

具体的な進め方については、西村と旧知の後藤太一がサポートした。福岡で地域デザインを手掛けるリージョンワークスの代表である。

2015年7月に始まったワーキンググループは、町の置かれた現状を理解するために開いた前半の勉強会と、「育つ・学ぶ」「泊まる」「エネルギー」「食べる」「届ける」「仕事づくり」など自分が関心のあるグループに分かれてそれぞれの領域の施策を検討する後半のワークショップの二部制で行われた。

前半の勉強会では、ワーキンググループで話し合うための共通認識を醸成するため、このまま何もしなければ神山はどうなるのかという「成り行きの未来」を提示した。

それは、次のような未来だった。

・2020年頃に町唯一の高校である城西高校神山分校(現・神山校)が廃校
・分校がなくなることで、徳島市内と神山を結んでいるバスが廃線
・世帯数の減少に伴いケーブルテレビ事業が撤退
・ネット環境が悪化するため、サテライトオフィスが撤退
・商店やタクシー会社が廃業
・2040年頃には小中学校が廃校

こうした未来を共有した上で、バッドエンドを回避するためにはどうすればいいのか、それをワーキンググループで議論したのだ。

そして、ワーキンググループでの議論を通じて、次の7つが施策として上がった。

「すまいづくり」「ひとづくり」「しごとづくり」「循環の仕組みづくり」「安心な暮らしづく

り」「関係づくり」「見える化」である。

「すまいづくり」は子育て世代を軸にした集合住宅の開発や古民家リノベーションによる社会資本の形成。神山では移住者向けに提供できる住宅が慢性的に不足している。それに対応した施策だ。

「ひとづくり」はITエンジニアやクリエイターなど、多様な移住者と神山の子どもの接点を増やすための施策。また保育園や小学校、中学校、高校の連携を進めること、県教育委員会に属しており、町との関係性が薄い城西高校神山分校との連携強化なども浮上した。

「しごとづくり」は起業支援やワーク・イン・レジデンスのさらなる強化。

「循環の仕組みづくり」は地域内経済循環の構築で、具体的には地域の木材や工務店、大工を活用した住宅づくり、木質バイオマスの活用などを通じたエネルギーの地産地消、地域の営農と食文化を進化させる農業生産法人やフードハブの設立である。

「安心な暮らしづくり」は、非常時に備える食料備蓄の仕組み化や高齢者の在宅生活を支える新しい仕事づくり、地域人材を活かした、IT・IoTを活用した鳥獣害対策。

「関係づくり」は、地域の状況を町の内外の人々と共有する「まちの発表会」の開催、神山の今に触れる町外者向け滞在プログラムの実施。

最後の「見える化」は、神山の現状や可能性を日々発信するメディアの立ち上げ、都市部における「ワークイン神山」などイベントの開催だ。

フードハブで共鳴した真鍋と白桃

「循環の仕組みづくり」に名前が挙がっているように、フードハブはこのワーキンググループの議論の中で浮上した。

提案したのは、「食べる」チームに属していた真鍋である。

愛媛県出身の真鍋は、高校時代に米アイオワ州の高校に交換留学した縁もあり、高校卒業後はアイオワ大学に進んだ。卒業後は日本のシステムコンサルティング会社や広告関連のベンチャー企業で働いた後、高校の同級生である林隆宏が創業したモノサスで働き始めた。

そんな真鍋と神山の出会いはサテライトオフィスである。2014年に林がサテライトオフィスをつくろうと視察に訪れた際に、一緒に視察に来た真鍋が物件を気に入り、そのまま移住したのだ。

神山を気に入ったのは、出身地である四国で二人の子どもをのびのびと育てたいと考え始めていたため。食に関するプロジェクトを始めるのに良さそうだと思ったこともあった。

真鍋はモノサスに入った後、食関連のプロジェクトを個人的に進めていた。2012年に東京でレストランを経営する料理人と始めた「Nomadic Kitchen」である。料理人とともに様々な地域を訪ね、地域の農家や漁師とワークショップ形式で食材を料理して食べるというイベントだ。

この取り組みの中で、スーパーなどの大手小売りを中心とした大量生産・大量消費の流通に乗らない地域の食材と消費者をつなぐ新しい流通の仕組みが必要だと痛感した真鍋は、いろいろ調べる中で「フードハブ」という考え方にたどりつく。

フードハブとは、生産した農作物の集約や保存、流通、マーケティングを通じて、顔が見える地域の生産者を消費者や卸、小売りにつなぐ組織のこと。米国で生まれた考え方で、生産者の少量生産と需要地の少量消費をつなぐフードハブは、米農務省も推奨している。

このフードハブを、神山でやりたい――。

そう思っていた時に、地域創生戦略のワーキンググループが立ち上がり、真鍋もメンバーに加わることになった。そして、当然のように「食べる」チームに参加した真鍋は、グループワークの議論の中でフードハブを提案する。

それに共鳴したのが、当時、役場に勤めていた白桃薫だった。

神山の農家に生まれた白桃は、農業を継ぐという前提で東京農業大学に進んだ。ところが、卒業して神山に帰る頃になると、市場の低迷で主業の一つである苗木の生産が落ち込んでいた。

「ちょっと待っとけ」という父親の言葉もあり、すぐに農業を継ぐのはやめ、神山町役場を受けることにした。

神山町役場の職員になり、産業観光課で農業や林業を担当した白桃は、高齢化による担い手の減少や耕作放棄地の増大、鳥獣被害の拡大や放置される山林など、神山の農業や中山間地における農業の現実を目のあたりにする。

国は農地の集約による農業の大規模化を目指しているが、神山のような中山間地では集約化や大規模化には限界があり、効率的に農業を営むことは難しい。その現実に直面した白桃は、中山間地域にどんな解決策があるのかと悩んでいた。

そんな白桃がワーキンググループに参加したのは、上からの指示だった。

「名指しでしたね。行ってこいと。またいつものような研修かと嫌々でした」

白桃自身、移住者にいい感情を持っていなかったこともあり、ワーキンググループの議論には何も期待していなかった。

ところが、真鍋の発した「フードハブ」という言葉に鳥肌が立つような衝撃を受ける。

小さいものと小さいものをつなぐ――。

その思想が、白桃が理想とする中山間地の農業に合致していたからだ。

神山の農業は立地もあり少量多品種生産である。大量生産・大量消費の流通からこぼれ落ちており、顔の見える関係として、消費者と直(じか)につながる以外にないと白桃は考えていた。

フードハブは、まさにそれを実現する仕組みだと感じた。

最終発表の場で起きた予想外の展開

真鍋のことはよく知らなかった。子ども同士は保育園で一緒だったが、真鍋は東京と神山を行ったり来たりの生活で、直接会って話をするような関係ではなかった。ただ、ワーキンググループの中で議論するうちに、自分とは異なる真鍋の視点に興味を覚え始めた。

「彼は農業を違う景色で見ているんです。例えば、『農家を育てる』という言葉があったとして、僕は『じゃあ、学ぶ場所をつくろう』と考えますが、真鍋は『じゃあ、料理人だね』となる。出口から考えている。その辺がおもしろいな、と」

移住者に対する見方も大きく変わった。

先ほど移住者にいい感情を持っていなかったという話をしたが、移住者と腹を割って話したことがなかったこともあり、「何をしているのかも分からない連中」「神山を利用しているだけでいつかは出て行く存在」というふうに見ていた。神山アーティスト・イン・レジデンスやサテライトオフィスが盛り上がった時も、一部の人が勝手にやっているという感覚があった。

それゆえに、創生戦略づくりで声がかかった時も「またか」という反応になったのだ。当時の白桃の心象風景が表れている言葉がある。

ワーキンググループの中で、それぞれの参加者が「どんな人に神山に来てもらいたいか」という意見を書き込むことがあった。

その時に白桃が書いた言葉は、「神山に骨を埋めるつもりがある人じゃないと必要ない」。これは、移住者に対して地元の人々がしばしば抱く率直な想いだろう。神山町の人口5000人のうち、移住者と積極的に関わっている地元住民はごく一部に過ぎない。多くの地元住民にとって、移住者とはあいさつ程度の関係で、所詮（しょせん）はよそ者である。

ところが、ワーキンググループで腹を割って話すと、移住者も神山を良くしたいと真剣に考えていることがひしひしと伝わった。

そのためにいろいろな取り組みを進めており、単に神山を利用しようとしているわけではないということもよく分かった。

すると、それぞれのグループが議論した結果をプレゼンする最終発表の場で、驚くべきことが起きる。「食べる」チームがフードハブに関する発表をした後、白桃はこう宣言した。

「家族にも相談していないけど、できるなら今の立場でやりたい。できないなら役場を辞め、個人的に関わりたい」

その言葉に対して、すかさず西村が被（かぶ）せた。

「真鍋はどうするの？」

フードハブの設立が決まった瞬間である。

「あの時は深く考えて言ったわけではなく、せっかくいいプレゼンができたのに、誰もやる人がいないなと。それで自然と言ってしまったんですよね」

そう白桃は振り返る。創生戦略の策定では、フードハブだけでなく、神山町創生戦略を進める実行部隊として一般社団法人「神山つなぐ公社」の設立も決まった。

官と民の協業を助ける神山つなぐ公社

神山町は2015年12月に、神山町の創生戦略・人口ビジョンである「まちを将来世代につなぐプロジェクト（通称、つなプロ）」を公表した。

もっとも、食の地域内循環ではフードハブの設立が決まったものの、それ以外のプロジェクトを推進する組織が存在しない。そこで、創生戦略を実践する実行部隊として、神山つなぐ公社を設立したのだ。

公社という形態を取ったのは、官と民が継続して連携する仕組みが必要と考えたため。予算主義の役場では、新しいことを始めようとしても予算がなく、臨機応変に動けない。しかも基本的に単年度予算であり、長期にわたるプロジェクトを通すことも難しい。公平性を重視するため、特定の人物や特定のプロジェクトを推すこともできず、首長が変われば方針がガラッと変わってしまうことも少なくない。それでは民間はどうかというと、民間では公益性が薄れるリスクがある。

そこで、ある程度自由に動ける公社のような存在が必要だという結論に至ったのだ。

フードハブと同じ２０１６年4月、神山町とグリーンバレーは神山つなぐ公社を設立した。神山つなぐ公社という名前が示している通り、官と民の協業をサポートすることを目的とした組織であり、活動の原資は地方創生関連の交付金である。

「かま屋」が直面した生みの苦しみ

こうして生まれたフードハブだが、軌道に乗るまでにはそれなりの期間を要した。「初めの2〜3年は、いつ潰(つぶ)れてもおかしくない状況だった」と白桃が言えば、真鍋も「3年間は5部門のすべてが赤字」と打ち明けるような惨状である。

どんな会社でも立ち上げ当初はガチャガチャするものだが、想定以上に時間がかかったのには、いくつかの要因が挙げられる。

まず言えるのは、フードハブの事業領域が広いということ。

先にも挙げたように、フードハブは「農業」「食堂・パン店」「加工品」「食品店」「食育」の５つを事業領域にしている。

フードハブの目的は、地域の農業や景観、食文化を守るため、地域の農地を借り受けて農作物を生産すること。次世代の生産者育成も旗頭に掲げており、農業はフードハブの一丁目一番地とも言える事業である。

地域の食材を使った食堂とパン店は、神山の農業を持続可能にするための需要創出。加工品は地元で採れた食材の活用に加えて、地域の食文化の継承という役割がある。食品店は、加工品や地元の産品を売る場所であり、食育は神山の農と食をすべての人に伝えていく、いわば循環型農業の考え方を広めるための活動だ。

この5部門を、真鍋、白桃、当時の料理長だった細井恵子の3人で分担する形を採っていたが、食堂一つとっても、一つの店の開業である。農業も、農業生産法人を新たに立ち上げるような話だ。それゆえに、それぞれの立ち上げは困難を極めた。

「1年目は1日しか休んでなかったと思います。2年目も年末年始ぐらい。とにかく大変でしたね」

そう白桃は振り返る。

中でも大変だったのは、かま屋の黒字化だ。

かま屋の席数は約50席と、神山という立地を考えるとかなり広めだ。実際、真鍋が相談した飲食業界のプロも、「この立地でこの席数はあり得ない」と口を揃えた。だが、食堂を立ち上げる目的は地域の素材を食べて地域の農業を支えること。10席、20席のカフェでは、その目的を達成することはできない。

そこで、大きめの食堂という方向性は守りつつ、神山らしい訴求力のあるメニューで客を呼び込もうと考えた真鍋たちは、地域の食材をふんだんに使った5種類のおばんざいを各自が取り分けるビュッフェスタイルを採用した。このおばんざい方式は、味も評判も悪くなかったが、結果的にうまくいかなかった。

「完全に僕たちのミス。一つひとつの料理に手間をかけすぎて利益が出せる体制にならなかった」と真鍋は語る。

おばんざいは、客が取り分ける量が分からないため、日々の需要が読めず、原価率のコントロールが難しい。また揚げ物で使うつなぎの卵にもこだわるなど、あらゆる素材の品質にこだわったことも、コストが下がらない一因になった。


黒字化のメドが一向に立たない中、真鍋は一人の料理人に相談する。東京・神田のオーガニックレストラン「the Blind Donkey」を立ち上げたジェローム・ワーグである。

第2章で述べたように、ワーグは、オーガニック料理の生みの親として知られるアリス・ウォータースが開いた「Chez Panisse（シェ・パニース）」で総料理長を務めた人物だ。ウォータースは、地元の食材を活用した地産地消やファーマーズマーケット、食育などのコンセプトを打ち出したオーガニック料理界の生ける伝説である。

真鍋とワーグの関係は古い。二人が知り合ったのは、2011年11月、東京都現代美術館で開催された食とアートの参加型イベント「OPENharvest」。神山まるごと高専の伊藤直樹などが仕掛けた、食べることを通して永続的な社会環境を考えるというアートインスタレーションである。

この時、シェ・パニーズのシェフとして参加したのがワーグで、真鍋は運営に関わっていた。その後、2016年に日本に移り住んだワーグは、「the Blind Donkey」をオープン。神山にもたびたび足を運んでいた。

真鍋の相談を受けたワーグはメニューの見直しを提言した。

「料理に手数がかかりすぎている。3人で回せるようなメニューを考えよう」

そうして生まれたのが、素材そのものにフォーカスした今の定食スタイルのランチである。実際のメニュー変更は、新型コロナウイルスが猛威を振るった2020年4月〜5月に、店を閉めて実施した。

この改革が、かま屋再生の号砲になった。

それまでのかま屋は赤字続きで、売り上げが計画に足りない月もあり、そういう時は食に関するイベントを開催して売り上げを確保した。ただ、イベント開催は現場に負担を強いる。売り上げづくりのために現場が疲弊するという悪循環に陥っていた。

「あの頃は、メチャクチャ忙しかったですね」

当時は「中の人」だった、ねっこぼっこの清家も打ち明ける。

だが、メニューのてこ入れで利益の出せる体質に改善。その後のコロナ禍からのリバウンドもあり、負のスパイラルを脱却することに成功した。

最後はスピンアウトした食育部門

3年間にわたって苦しみ続けたかま屋だが、それは他の事業も似たようなものだった。

加工品の場合は、商品点数の多さが問題だった。

オリジナル商品の開発にも力を入れていたフードハブ。地元のおかあさんグループの中で伝承されていた焼き肉のタレ、有機栽培のニンジンやビーツを使ったドレッシング、米粉と米ぬかを用いたビスケット、米粉のホットケーキミックス、神山の乳酸菌で発酵させた阿波晩茶――など、地域の食材を活用し、地域の食文化を守り伝えるという意味ではいい商品ばかりだった。

ただ、売れる商品ができたとしても、製造にかかる手間や設備・機材、生産量などの見合いで利益率も変わる。このあたりの管理がうまくいかず、加工品部門も赤字が続いた。

加工品については真鍋が担当していたが、計数管理に長けた白桃が広がり過ぎた商品群を整理することで、ようやく収益化の出口が見えつつある。

それでは食育はどうかというと、こちらはフードハブから分かれ、NPO化したことでうまく回り始めた。

食育部門を担当したのは、食育に関心を持っていた樋口明日香である。神奈川県で小学校の教員を務めていた樋口がフードハブに加わったのは2016年5月。地元の徳島市に戻ったタイミングでフードハブの存在を知り、立ち上がったばかりのプロジェクトに参画した。

徳島に戻った背景には、つくり手の顔が見えない学校給食に対する違和感があった。給食センターで大量につくられる学校給食は、素材のつくり手も調理のつくり手も顔が見えない。でも、毎日の給食は食や農、健康について学ぶ絶好の機会。ここに教育的価値があるはずだが、いまさら栄養教諭になるのも現実的でない。

そこで地元の徳島に帰り、パン教室を開きながら臨時的任用職員として働こうと考えていた。そこから縁あってフードハブに加わった。

かま屋やかまパンの立ち上げに奔走しつつも、地元の小学校から食育教育の委託を受けるなど、食育の活動自体は割とうまくいっていた。

もっとも、委託費は入るものの、食育部門は基本的に収益部門ではない。フードハブが黒字化に苦しむ中、肩身の狭い想いをしていた樋口は、営利企業の中で食育に取り組むことに限界を感じ、スピンアウトしてNPO化することを決断した。それが、2022年3月に誕生したNPO法人「まちの食農教育」である。

「食育活動をやりながら感じていたのは時間軸の違い。お店のメンバーが足元の売り上げをどうしようかと悩んでいるのに、こちらは子どもたちが大きくなる10年、20年先のことを考えている。同じ時間軸で考える仲間がほしかったというのが正直なところです」

そう樋口は打ち明ける。今はフードハブと連携しながら、神山町の小学校に食育プログラムを提供したり、城西高校神山校の生徒とコラボしたりするなど活動の幅を広げている。

「かまパンらしいパン」って何？

フードハブの各部門が生みの苦しみに悶絶（もんぜつ）する中、かまパンは比較的安定していた。ただ、外部からそう見えていただけで、かまパンはかまパンで様々な問題に直面していた。その中でも最大の試練は、製造責任者を務める笹川大輔の〝迷い〟である。

東京・八王子のパン店で働いていた笹川が、フードハブのことを知ったのは2016年11月のこと。独立に向けてパン店のコンセプトを考えている時に、知人が求人サイト「日本仕事百貨」に掲載されていたフードハブの求人を教えてくれた。

「これ、笹川君が言っていることじゃないの？」

日本仕事百貨の求人は仕事内容や条件などを羅列するのではなく、人材を募集している人や企業の想いが描かれている。それが笹川の興味を引いた。

笹川は、独立するにあたってパン店のコンセプトが必要だと考えていた。特にパン店がひしめく東京のような場所では、つくり手が何を考え、どういう想いを込めてつくっているのか、社会に対して何を発信したくてパンを焼くのか、それを店全体で表現していかなければ消費者に刺さらない。

日本仕事百貨の記事を見ると、フードハブはパン店だけでなく、食堂や農業、食育などいろいろな事業を展開しようとしていることが描かれていた。パンと「プラスα」の何かを組み合わせたパン店を開きたいと考えていた笹川は、日本仕事百貨の記事を見て、パンと食堂、パンと農業、パンと食育、パンと社会――など、いろいろなプラスαが生まれるかもしれないと感じた。

加えて、パン職人は激務である。独立してうまくいく人は一握り。多くの人は生活のためにつくりたくもないパンをつくり、疲弊してやめていく。そんな先輩の姿を見ていた笹川は、生活のためのパンづくりは避けたいと考えていた。

もちろん、自分と家族が生きていくためにパンを焼くことに変わりはないのだが、フードハブという「組織」の中のパン店であれば、暮らしとパンつくりの両立が実現できるかもしれない。

ただ、当初は冷やかし半分で話を聞くだけのつもりだった。

実際、東京で真鍋に会った時も、「フードハブって、どんなことをしているんですか？」「何かおもしろそうなことをしてますよね」と、どこか上から目線。

「（パンづくりは）どこまでできるの？」と真鍋が聞いても、「一通りできます。ただ、どういう製法でどういうパンをつくるのか、オーナーの求めるものが分からないので、期待できるものができるかどうかは分かりません」と塩対応。

「一度、神山に来てみないか」という真鍋の誘いで神山に行った時も、「まだ更地ですが、お店、来年3月までにできるんですか?」「食堂のキャパ、50人は大きすぎると思うんですけど」などと言いたい放題だった。

「だって、その時は行く気がなかったですから」

ただ、真鍋はそんな笹川をおもしろいと思ったのだろうか、その場で神山に来る場合に求める条件を聞いた。

「家と車、それと子どもが二人いるので保育園。給料は今のパン店の水準と、いろいろ条件を出したんですが、ほぼすべてOKだったんですよね。その後、白桃さんが電話してきて、『保育園、二人OKです。明日から入れます』って。あくまでもこちらの印象ですが、『ぜひ来てくれ』という感じ。じゃあ、チャレンジしてみようかな、と」

最後に「商品開発担当の塩見(聡史)と一緒にやれるか」という質問を受けた。

塩見は、天然酵母パンで知られる東京・代々木八幡の「ルヴァン」で修業したパン職人。笹川と同じように独立を前提として働いていたため、フードハブには期間限定で参加していた。その後、2020年11月に東京・代々木に薪窯パン店「パン屋 塩見」を開業している。

「もちろん、問題ないですよ」と答えた笹川は、独立をやめて神山への移住を決めた。2017年2月のことだ。

ところが、実際に神山に来てみると、フードハブでのパンづくりは、笹川にとって想像以上につらいものになった。「どういうパンをつくるのか」という根本的なところで壁にぶつかったのだ。

2017年4月のオープン時、かまパンの商品は「いつもの食パン」がメインで、店を軌道に乗せていくためには、商品ラインナップを増やしていく必要があった。

そこで、真鍋や当時の料理長と「かまパンらしいパン」を議論し、その議論の中で上がったパンを試作したが、ことごとくダメ出しを受けた。

「こんなの、どこにでもあるじゃん。うちでやる意味、あるの？」

「かまパンっぽくないんだよね」

そんな指摘にムカついた笹川が、「かまパンっぽいパンって、どういうパンですか？」と聞き返しても、「地域のパン」などという漠然とした答えで、笹川の期待に沿う返事が返ってこない。

「『地域の人と考えながらつくるパンが地域のパンではないか』とか真鍋さんは言うんだけど、こっちが知りたいのは、そのパンの形なんですよね。それが分からないから、何をつくればいいのか分からなかった」

「かまパンらしいパン」というふわっとしたオーダーに苛立ち（いらだ）を募らせる笹川。そもそも彼には大きな不満があった。

生地を寝かせるパンであれば、寝かせるためのスペースや冷蔵設備が必要になるように、パンづくりは製法によって必要な設備が異なる。そのため、最初にどういうパンをつくるのかを決め、それに合った設備を入れるのが一般的だ。独立を考えるにあたって、笹川がコンセプトを重視していたのも製法に直結する話だったからだ。

ところが、かまパンは最初に設備が決まっていたため、真鍋たちが提案するパンが設備面で難しいということもあった。

「どんなパンをつくるか」。それを経営陣が分かっていないのに、自分につくれと言うのは無理筋でしょう——。それが笹川の不満の根源だった。

「今思えば、自分に知識と技術がなかっただけですが、当時はバチバチやっていましたね」

自分ごとになったかまパンでのパンづくり

会社を存続させるために売り上げをつくらなければならず、そのために打ち合わせと試作を繰り返すが、なかなか「これ」という商品ができない。

「こういうのどう？」

「何か違う」

「何かって何ですか？」

「それを実現するためにいるんじゃないの？」

そんな不毛なやり取りが続けば、パンづくりもどんどんつまらなくなる。かまパンの製造責任者になって丸2年、心身ともに追い込まれた笹川は、パン職人をやめることまで考えるようになっていた。

やめようというところまで追い詰められたのは、「ここ以上のお店は存在しない」ということを自覚していたためでもあった。

かまパンでは、パンも加工品も、自分たちの判断で棚に並べることができる。客との距離も近く、パンを焼きながらコミュニケーションを取ることも可能だ。この店でうまくいかなければ、どこに行っても無理だろう。

そんな笹川に転機となる出来事が二つ起きた。

一つは、オーガニックワインのソムリエと開いたイベントだ。徳島にUターンしたソムリエが、パンだけをつまみにワインを飲む会を神山で開こうと笹川を誘った。

この時、笹川は思い切って自分がつくりたいパンだけをつくることにした。笹川のつくりたいパンとは、いわゆる外側が硬いハード系のパンである。丸く大きなカンパーニュやトマトやチーズを練り込んだパンなど、ハード系のパンを中心に10種類のパンを準備した。

かまパンのパンではバターや卵をあまり使っていなかったが、この時は自分のつくりたいパンということでバターや卵もふんだんに使った。

「自分で言うのも何ですが、お客様には大好評で。『おまえ、こんなのつくれんの?』という真鍋のビックリした顔は、今でも覚えています」

自分のパンが認められたという事実。これは、笹川にとって確かな自信になった。

もう一つは、東京で参加したパンの視察研修である。

「悩んでいるなら、他の店を見てくれれば」

そんな真鍋の提案で、真鍋の知り合いのパン店を視察することになった。その場では、お店のコンセプトや商品についていろいろと話を聞いたが、最後にシェフから投げ掛けられた言葉に笹川は衝撃を受けた。

「笹川さん、神山でやり切ってないでしょ。やり切ってないのに、グズグズ言っているの？」

さらに、追い打ちをかけるように、こうも言われた。

「君がそのポストにいるのはもったいないよ。早く別の人に譲った方が、神山にとってもいいんじゃないの？　せっかく神山が盛り上がっているのに、君が邪魔しちゃダメでしょ」

「後から思えば、真鍋さんが何かアドバイスしてくれと頼んだんだと思いますが、あの一言で、このままじゃダメだ、自分が変わらないとダメだ、と思うことができました」

笹川自身、どこか雇われ職人の感覚を持っていたのではないだろうか。

「パンとワインの会」のイベント成功の後、「かまパンで出してもいいんじゃない」と真鍋に言われた時に、「これは僕のパンだから、かまパンでは出しません」と断ったのは、自分のパンとかまパンのパンが別物だと考えていたからだろう。「経営陣がつくりたいパンを分かっていない」と批判したのも、自分は言われたパンを焼くだけだという感覚がどこかにあったからのように見える。

神山に戻った笹川は、想いを込めて一つひとつのパンを焼き始めた。それまでは売れ残りを避けるため、つくる量もセーブしていたが、生産量を増やし、売り切るまで人を呼ぶことにした。

するとかまパンの売上高は右肩上がりで伸び始めた。

「製法も材料も前と同じ。マーケティングも何もしていません。でも、想いを込めてパンをつくり始めたらパンが売れた。『どうしたの？』と真鍋さんが言うから、『想いを込めてつくったら売れたんです』と言ったら、『そんなわけないだろ』って。でも、本当にそうなんです」

どんな事業も同じだが、プロジェクトを立ち上げる際に、他人事（ひとごと）ではなかなかうまくいかない。真鍋や白桃のように、会社や店にオーナーシップを感じるようでなければ、どんなに優れた技術を持っていても人の心には刺さらない。

組織の中で働くパン職人ではなく、かまパンを自分の店だと思うようになったからこそ、うまく回り出したのだろう。

「初めの頃、真鍋さんが言っていることが分かんなかったんです。あの人はだいぶ先を見ているので。言っていることがあまりに分からなくて、事前に聞くことをメモしてて、飲み会の時に聞いたこともありました。でも、最近は少し分かるようになってきました。勝手にこういうことだろうと解釈しているだけですが」

今、かまパンに行けば、神山の素材を使ったパンが並んでいる。すべてかまパンらしいパン、地域のパンである。

パンの種類や形状が問題なのではなく、何を考え、どういう想いを込めてパンをつくっているのか。それを地域の人に説明できれば、それがかまパンらしいパンであり、地域のパンなのだという結論に達した。

「成長しているかどうかは他の人が評価するものだと思っていましたが、今は自分の成長を自分で感じています」

会社として自走し始めたフードハブの背景には、関わっている人々の想いと成長がある。

町のリソースにこだわり抜いた集合住宅

同じように、高い熱量を持った人がいたがゆえに、うまくいったプロジェクトがある。それが「高校プロジェクトだ」。神山つなぐ公社が進めた、徳島県立城西高校神山校を舞台とした学校改革と地域連携である。

その話を始める前に、神山つなぐ公社について簡単に触れよう。神山つなぐ公社とは、「まちを将来世代につなぐプロジェクト（神山町創生戦略・人口ビジョン）」の実行部隊として、神山町とグリーンバレーが出資した第三セクターだ。

2016年4月に始動した神山つなぐ公社が手掛けたプロジェクトはいくつもある。

2016年4月から2021年3月までの第1期で言えば、神山町大埜地(おのじ)に建てられた集合住宅は代表的なプロジェクトだ。

移住希望者が増えている神山では、貸すことのできる物件が不足しており、住宅の供給が喫緊の課題になっている。そこで、町内の中学生向けの学生寮が立っていた場所に、8棟20世帯の集合住宅を建てるプロジェクトを立ち上げた。

神山創生戦略で「すまいづくり」と「循環の仕組みづくり」を謳っているだけに、大埜地の集合住宅には、その要素がふんだんに盛り込まれている。

住宅建設のための木材は神山町産スギ。実際に建てるのは神山町内の大工であり、工務店である。エネルギーの地産地消にも取り組んでおり、集合住宅の床暖房や給湯の熱源は、地元の森林組合がつくる木質ペレットを燃料とした木質バイオマス。湿気で建物が傷むのを防ぐため、暖気を床下に送り込む太陽熱集熱装置も屋根に設置した。

内外装は自然素材主体。敷地に植えられた植栽は、造園土木科がある城西高校神山校の生徒が神山の山から採取し、栽培した苗を用いた。

徹頭徹尾、神山にこだわった集合住宅だ。

建物については学生寮の解体工事が終わった後、2017年から毎年2棟ずつ、4年をかけて建てられた。期間を細かく区切って建設したのは、町産材の確保や地元の工務店のキャパシティを考えてのことだ。

集合住宅の住民同士、あるいは住民と地域の人の交流を進めるため、集合住宅に隣接する「鮎喰川コモン」という共用空間も設けた。その中心に建つコモンハウスには図書スペースや畳の小上がり、勉強や読書のできるスペースなどがあり、子どもが遊び回ったり、本を読んだり、大人が仕事をしたり、いろいろと開催されるカルチャー教室に参加したりと、子どもや子育て世代の居場所になっている。

第1期に実施された他の取り組みとしては、町民を対象にしたバスツアーもある。移住者の増加に伴って、神山にはコワーキングスペースや宿泊施設、飲食施設などが続々と誕生した。その動きは新聞やテレビなどで報じられるものの、地元で暮らす住民が知る機会はあまりない。そこで、神山バレー・サテライトオフィス・コンプレックスやかま屋、えんがわオフィスなど、神山の有名スポットを回るツアーを開催したのだ。このバスツアーには、これまでに70回、延べ907人が参加した。

最近では、神山らしい景観を維持するため、建設工事に関する規制なども盛り込んだ景観計画の策定も進む。

このように、神山つなぐ公社の実績はいろいろあるが、中でも「ひとづくり」の一環で進められた城西高校神山校を巡る高校プロジェクトは、学校だけでなく、神山にとっても大きな意味を持つものだった。ここで言う高校プロジェクトとは、「神山創造学」の設置と学科再編である。

「よき農村婦人を育てる」ことが目的だった生活科

神山校とは、1948年にできた農業高校の分校で、神山の農家の子弟が通うために設置された全校生徒90人ほどの小さな高校だ。

もっとも、高校プロジェクトが立ち上がった当時は学科に魅力がなく、定員割れの状態が続いていた（当初は城西高校神山分校。2019年に城西高校神山校に名称変更）。

分校時代の学科は、造園土木科と生活科の二つ。造園土木科は県内で唯一、土木が学べる学科だったが、昔のような広い庭のある家が減っており、造園に対するニーズは縮小傾向にある。神山のような中山間地で暮らすには、造園や土木のノウハウは持っていた方がいいスキルだが、植木屋以外に卒業後の進路がイメージしづらいという問題を抱えていた。

もう一つの生活科は、輪をかけて時代遅れになっていた。学科の中身は基礎的な科目に加えて被服や保育などの授業。「よき農村婦人を育てる」という目的で設置された農村家庭課程を引き継いでいるためやむを得ない面もあるのだが、「よき農村婦人」というのは今の時代にあんまりである。

しかも、交通の便が良くなったことで、神山から徳島市内の高校に通う生徒が増加。神山分校に通う若者も減っていた。

神山町にある唯一の高校にもかかわらず、町との関わりがどんどん薄くなっていたのが現状だった。

その中で、学校サイドから相談を受けた神山つなぐ公社の「ひとづくり」担当だった森山円香は、分校の教員や町の人々と手を携え、高校の魅力向上のために様々な手を打っていく。

その一つが、２０１７年度に始まった神山創造学である。

神山創造学とは、神山校が独自に設定した授業（学校設定科目）のこと。地域をフィールドに、地域の人たちとコミュニケーションを取る中で、自分の感情や考えを相手に伝える力や人と協働する力、体験を通して学んだことを深める力を身につける。

1年生はフィールドワークを中心とした体験活動が中心（2単位）だ。具体的には、町内の会社や組織を訪ね、働いている人に話を聞く「仕事体験」や、農家や職人、猟師などにグループで話を聞き、録音した内容をまとめる「聞き書き」を通して、聞く力や書く力、仲間と協働する力などを学ぶ。

2年生はチームプロジェクト（4単位）。テーマごとにプロジェクトチームをつくり、それぞれのテーマを研究する他、「まめのくぼ」と呼ばれる耕作放棄地の棚田を舞台に、耕作放棄地の再生と再生した棚田を活用した様々なプロジェクト――例えば、ぼうぼうに生えた草木を刈り、根っこを掘り起こし、石積みを直し、畑を耕し、柵を立て、小麦を植え、製粉した粉でお菓子を焼くなど――を進める。

そして、3年生は自分が研究したいテーマを設定し、1年かけてそのテーマを掘り下げる。

私はたまたま神山にいた2023年1月24日に実施された発表会を傍聴したが、発表会では「神山の魅力発信」や「神山オリジナルカレーの開発」など、それぞれの生徒が1年かけて深掘りしたテーマを発表していた。

神山校の1、2年生や保護者だけでなく、地域の人々も大勢訪れていたが、目の前の観衆に臆することなく、自分の言葉で語っていたのが印象的だった。

さらに、神山つなぐ公社やフードハブと連携した独自の授業も展開している。

造園土木科であれば、神山の景観を形づくっている石積みの技術を学ぶため、専門家を招き、町内の石積みを修復した。「まめのくぼ」の棚田再生も造園土木科の授業の一環だ。

先述したように、神山に自生する木の種子や実生苗を校内の温室で育て、大埜地の集合住宅に植えるという授業もあった（通称「どんぐりプロジェクト」）。

生活科の方も、「地産地食」をキーワードに弁当をつくり、毎年秋に開催される文化祭「神農祭」で販売するというプロジェクトを始めた。

地域の農業から調理までを一貫して学ぶために、フードハブのスタッフや地元の農家とメニューを考え、産食率や原価率を学びながら実際に調理する。食育についてはフードハブで食育を担当する樋口が非常勤講師として教壇に立った。

こういった授業のコーディネートは基本的に森山が担った。

神山で起きたもう一つの奇跡

もう一つは、今のニーズに合致しているとは言えない学科の再編だ。先ほども触れたように、造園土木科と生活科に進学しても、その先のキャリアがイメージしづらい。

そこで、今の時代に合ったものに学科を再編して生まれたのが「環境デザインコース」と「食農プロデュースコース」である。

1年次は「地域創生類」として幅広く農林土木を学び、2年次で造園土木をベースとした環境デザインコースと、生活科を発展させた食農プロデュースコースに分かれる。

環境デザインコースは、造園と造園にまつわる土木技術を学ぶというベースは変わらないが、造園の枠を広げて里山の環境全般を取り扱う授業と再定義した。

食農プロデュースコースも、持続可能な環境保全型の農業を通して、加工品づくりや食育を学ぶという今日的なコースである。それを、地方創生の先進地である神山で学べるのは、唯一無二の体験だろう。

学科再編に合わせて、県外生の受け入れも始めた。それまでは定員割れの不人気校だったが、神山校独自の学科に魅力を感じて、町外や県外から学生が来るようになった。

2023年3月には、砂川康介と中野千代実という二人の県外生が卒業し、県外の国公立大学に進学していった。

「神山校は劇的に変わったよな」

グリーンバレーの創業メンバーであり、神山校のある寄井地区で金物店を営む佐藤英雄はそう言うと、相好を崩した。私は以前の神山校を知らないが、確かに今の神山校と生徒を見ていると、本当に素晴らしい学校だと感じる。

神山校は、県の教育委員会が管轄する県立高校だが、神山つなぐ公社と神山校の教員は、そういった垣根を乗り越えて、今の時代に合ったプログラムを再編成した。役場も、神山校の学生寮である「あゆハウス」を整備し、県外生など自宅から神山校に通うのが難しい生徒が進学できる体制を整えた。何より、神山校の生徒が完全に地域に溶け込んでいる。

栽培した野菜を地域の人たちに販売するため、野菜を積んだ手押し車を押す生徒の姿を見たのは一度や二度ではない。実習を兼ねたバイトだが、地域の高齢者のために庭木の剪定（せんてい）や草刈りを手伝う姿もある（通称「孫の手プロジェクト」）。

そこには、地域から切り離されていた頃の姿はない。今では、生徒自身が神山について積極的に発信している。

2022年夏に開催された神山まるごと高専のサマースクールでは、高専の教員や地域の人が受験希望者や保護者の質問に答えるというプログラムがあった。その場では、同じ神山という土地で学ぶ寮生として、砂川や中野が質問に答えていた。

「私も地元の代表として話したけど、堂々と話しているのを見て、本当に成長したなと驚いたわ」

そう佐藤は振り返る。

2023年3月2日、神山の改善センターで開催された「あゆハウス」の卒寮式には、50人以上の町民が訪れた。平日の日中だったため、仕事を休んで参加した人もいたという。卒寮するのは砂川と中野の二人だけ。卒寮会に出ても、何があるというわけでもない。それでも、多くの町民が足を運んだのは、神山校の生徒が町民から愛される存在になったということだ。

神山まるごと高専の誕生は確かに奇跡だ。しかし神山校で起きたことも神山の奇跡である。

理想的な官民連携

「ひとづくり担当」として高校プロジェクトを成功に導いた森山。彼女が神山に来たのは、全くの偶然だった。2015年に神山町の創生戦略を策定するワーキンググループが始まった後、リージョンワークスのアシスタントとして創生戦略の策定を支援したのが始まりだ。当時、森山は東京に住んでいたが、議論に参加するため、毎月1回、神山に通っていた。その後、創生戦略が完成し、実行部隊として神山つなぐ公社が立ち上がるタイミングで公社メンバーにスカウトされた。

「神山の仕事が終わったら、ビジネスのつくり方や立ち上げ方を学ぶため、英国の大学院に留学しようと考えていました。そうしたら、神山つなぐ公社で働かないかという誘いが来て。自分のやろうとしていたことが、まさに目の前に現れた感じでしたね」

「ワーキンググループの議論を見ていて、町に良いエネルギーが満ちていると思ったことも、神山つなぐ公社に参加しようと思った理由です。高いビジョンを掲げるのではなく、それぞれの住民が自分たちの関心のあるところに取り組んでいる。それが、すこやかだと感じたんです」

そんな森山が神山分校に関心を持ったのは、「定員割れが続いているので、県外生の受け入れを考えたい」という相談を、分校サイドから受けたことがきっかけだった。

神山分校は県立高校であり、神山町とは基本的に関係がない。それでも神山つなぐ公社として関わるべきだと考えたのは、神山の未来を考える上で、神山分校が極めて重要な立ち位置にあったからだ。

今のまま定員割れが続けば、神山分校はいずれ廃校になる。廃校になれば、徳島市内と神山を結ぶバスが早晩、廃止されることは必至だ。そうなれば、高齢者が市内に出る足が失われてしまう。地域の人が通いたいと思う高校があるかどうかは、子育て世代の流出に関わるという側面もある。

神山で子どもを育てたいと思っても、町に高校がなければ、徳島市内など、他の地域に通わせる必要がある。その時に、町を出て行ってしまうかもしれない。地域の子どもが魅力的に感じる高校があれば、そうした流出を防ぐこともできる。

学校を変えたいという先生たちの想いもあった。

学校の「あるべき論」を振りかざすのではなく、自分たちと一緒に考えようとする教員の姿勢。それは、学校改革のような難しいプロジェクトでは不可欠の要素だ。

集合住宅プロジェクトが決まっていた「すまいづくり」とは異なり、「ひとづくり」の分野は具体的なプロジェクトがあまり決まっていなかった。

だが、こうした理由を踏まえ、公社として進めるべきプロジェクトだと判断した森山は、神山つなぐ公社を辞める2022年まで、コーディネーターとして丸6年にわたって神山創造学の創設や地域と連携した独自の授業、学科再編などをサポートした。


森山が立ち上げた魅力的なプロジェクトは他にもある。

例えば、地域の学校の先生が交流する場「先生みんなでごはん」というイベントがそうだ。

神山には保育所が二つ、小学校が二つ、中学校が一つ、高校が一つある。それぞれ神山の子どもに向き合っているが、互いに連携しているとは言えない。そこで、地域の先生が交流する場をつくった。

「先生みんなでごはん」は定期的に開催されており、最近は神山まるごと高専の教員も参加し始めた。こうした取り組みは、公社の他のメンバーに引き継がれ、今も続いている。

「別に使命感に突き動かされたというわけではなくて。やればやるほど、未来がいい方に変わっていく実感があったんです。それでのめり込んでいったという感じです」

森山は公社を辞めた後、パートナーと7カ月間、世界一周の旅に出た。そのまま帰ってこないと思っていた町民もいたようだが、2023年2月に神山に戻ってきた。

私が森山の話をかま屋のテラスで聞いていた日は、ちょうど彼女が世界一周の旅から戻ってきた直後で、神山校で食育をともに進めた樋口と抱き合って再会を喜んでいた。まさに、戦友のような存在なのだろう。

「無理しなくていいよという町の人もいましたが、ここに戻るのが自然だったんですよね。この後、何をするかはしばらく考えます」

町が住民の「やりたいこと」を後押しする

神山を取材していると、神山つなぐ公社について様々な意見を耳にする。

行政と民間をつなぐための組織なのに、役所の別働隊と化している、第一期のような存在感がない、ガバナンスが不透明、本来は町産材の活用を後押しする仕組みを構築すべきなのに集合住宅という一過性の需要創出で終わった——などといった批判だ。

手厳しいと思うものもあれば、妥当な批判だと感じるものもある。

官に近い組織の性格を考えれば、批判を受けるのも仕事の一部だが、集合住宅や高校プロジェクトのようなビッグプロジェクトがあった一期目に対して、二期目が一期目で実施したことのフォローやメンテナンスがメインになるのは致し方がない気もする。

ただ、神山を見ている部外者として間違いなく言えるのは、ワーキンググループの議論と、その後の神山つなぐ公社の誕生によって、神山で始まるプロジェクトがより大きく、より影響力のあるものに変わったということだ。

これは町がまちづくりの輪に加わらなければできず、それが神山の多様性を深化させたことは間違いない。


同時に、忘れてはならないのは「やりたいこと」を持っている人が先にいたということだ。フードハブのアイデアを持っていた真鍋然り、高校プロジェクトを完遂した森山然り。町や公社のサポートがあったから実現したプロジェクトだが、手を挙げる人がいたからこそ、成果を出すことができた。

「僕自身、神山町の創生戦略の結果にはあまりこだわりはないんよな。ただ、創生戦略を決めていくプロセスは素晴らしく良かった。プロセスから次の何かが生まれると考えれば、創生戦略づくりはとてもいいプロセスだったので、恐らくいいものが生まれるだろうという感覚はあったな」

グリーンバレーの大南がそう強調するように、神山のまちづくりにおいて、ワーキンググループでの議論と役所の参画は極めて大きな意味を持った。とかく形式的なものに終始しがちな官民連携だが、民間のパワーを後押ししたという点で、神山の官民連携は、理想的な官民連携の形だったと言えるだろう。

もっとも、創生戦略の策定を主導した西村は既に神山を去り、今の神山つなぐ公社は今後の方向性を模索する時期にある。

その中で、組織として何を目指していくのか。

神山つなぐ公社の財源は地方創生関連の交付金である。２０２１年度からの二期目も交付金は下りたが、今後、その金額が減っていくのは確実だ。その時に、町の財源でもやるべきだという声が上がるのか、それとも役割を終えたという話になるのか。

地方創生のモデルとなった神山だけに、官民連携の神山モデルが生まれることを期待している。

第4章

「入り口の多様性」が生み出す地域の多様性

これまでの章で述べてきた通り、神山には、様々なバックグラウンドを持った人が集まっている。東京や大阪に多様性があるのは当然で、他の地域にもおもしろい人がたくさんいるとは思うが、これだけ多様な人材が集まっている田舎はあまりないのではないだろうか。

神山の多様性を感じる瞬間は、頻繁にある。

例えば、神山バレー・サテライトオフィス・コンプレックスの隣にある「おひーさんの農園チーノ」。ここでは、毎週月曜の昼、母屋の軒先にカレーランチの露店がオープンする。神山滞在中、ちょうどお店が開いていたのでごはんを食べに行くと、知っている顔や懐かしい顔が集まっていた。

サテライトオフィスを出しているソノリテの江﨑礼子やグリーンバレーの「ニコライさん」こと河野公雄、粟カフェの元経営者でグリーンバレーの理事長を務める中山竜二、神山つなぐ公社で大埜地の集合住宅を手がけた高田友美、長女をみっけに通わせている武久夫妻、神山塾OBの佐藤光――。

カレーと一緒に販売していたベーグルは森口智美の手づくりだった。森口は2016年に神山に移住後、3人の子どもを育てながら、「Morigchowder（モリグチャウダー）」の屋号でパンやクッキーなどを製造・販売している。

農園チーノに集まっている人々が、神山に移住した時期やきっかけはそれぞれに異なる。その多様な流入経路が、神山の多様性に一層の深みを与えていると改めて感じる。

時期ごとに異なる移住者のタイプ

神山に来る移住者には、いくつかの経路がある。

主立ったルートを挙げると、神山アーティスト・イン・レジデンス（KAIR）、神山ワーク・イン・レジデンス／サテライトオフィス、神山塾、地域おこし協力隊、フードハブ・プロジェクト、神山つなぐ公社——である。

KAIRは、作品づくりで神山に滞在し、神山が気に入って移住した人々。具体例を挙げれば、2013年のKAIRに参加し、2016年にオランダから移住した阿部さやかとマヌス・スウィーニーの二人が該当する。

また2003年のKAIRに参加したミュージシャン、中島恵樹の家に居候し、そのまま神山に居着いたCOCO歯科のココ（手島恭子）も間接的だが、KAIR経由と言える。

2013年にカフェ・オニヴァを開いた齊藤郁子、彼女の友人でオニヴァのシェフを務めた長谷川浩代も、ココのつながりで神山に来たという経緯を考えれば、二人もKAIRのラインと言ってもいいかもしれない。

時期で言うと、2000年代前半から始まった流れである。

次にあるのは、神山ワーク・イン・レジデンスやサテライトオフィスをきっかけとした移住だ。神山の移住交流支援を担ったグリーンバレーは2000年代後半から、パン店やカフェなど、地域が必要としているお店や職人を呼ぶというコンセプトの下、新しい移住促進プログラムを始めた。神山ワーク・イン・レジデンスである。

このプログラムを進める過程で、移住希望者の中にエンジニアやクリエイターがいることに気づき始めたのが、東京や大阪のIT企業を神山に誘致するサテライトオフィスだった。そう考えると、神山ワーク・イン・レジデンスとサテライトオフィスは、一連の流れとして捉えられる。

神山ワーク・イン・レジデンスで入ってきた薪（まき）パンや映像作家の長岡マイルは神山を去ったが、サテライトオフィス経由の移住者は数多く、えんがわオフィスやWEEK神山を立ち上げた隅田徹、神山しずくプロジェクトの廣瀬圭治（きよはる）、フードハブ・プロジェクトの真鍋太一、ダンクソフトのエンジニアだった本橋大輔、ねっこぼっこのスタッフで輪輪（リンリン）発明研究所の山下実則など、例を挙げれば枚挙にいとまがない（長岡マイルも家の問題で引っ越しただけで、隣の佐那河内（さなごうち）村に住んでいる）。

2010年10月に始まった神山塾。ここのOBも、移住者の中では一大勢力だ。

神山塾とは、地域マネジメントや人材育成などを手掛けるリレイションの祁答院（けどういん）弘智が始めた、職業訓練と地域人材の育成を兼ねたキャリア支援プログラムである。求職者向けの職業訓練という位置づけのため、参加者は20代～30代が中心で、そのまま神山に定住した塾生のＯＢも少なくない。

私が10年前に神山を取材していた当時、岩丸百貨店で毎晩のように開かれていた飲み会に何度かお邪魔したが、最初は何をしている人たちなのか、よく分からなかった。

職業訓練という話は聞いていたが、やっているのは棚田再生や森づくり、あるいはイベント出店など。何を訓練しているのか、はた目には分からない。

夜の飲み会も、塾生だけでなく、塾生ＯＢや地元の人、移住者などが入り乱れ、誰が誰かも分からない。

そもそも、神山町民でも移住者でもない塾長の祁答院が、家族を顧みず、わざわざ徳島市内から通ってまで神山塾を開いているのか、というところからして謎だった。

「塾生の面倒を見る岩丸さんはスゲェな」という点を除き、分からないことだらけだった神山塾だが、サテライトオフィスで脚光を浴びる神山において、神山塾生が地域の人たちに誰よりも愛されているという事実はよく分かった。

そして10年後、改めて神山に来ると、彼ら彼女らは神山に残り、それぞれが新しい人生を切り拓いていた。

神山まるごと高専関係者が起こす化学反応

草木染め工房「染昌」を開いたの瀧本昌平（神山塾１期生）は自分の工房を構え、自身の作品を世に問うている。

2期生の樋泉聡子は、グリーンバレーのサテライトオフィス支援の担当として働いた後、同じく移住者の隅田徹と結婚して子どもをもうけた。

同じ2期生の野原奈津美も神山に残り、動画編集の会社でリモートワークをしつつ、夫の野原洋介と一緒に3人の子どもを育てている。

3期生の神先岳史は事業承継でWEEK神山を引き継ぎ、今は支配人として活躍している。同じく3期生の植田彰弘は、6期生の兼村雅彦とともに、「エタノホ」という組織を設立。神山町の最深部にある江田(えた)集落で米づくりと棚田再生に人生を捧(ささ)げている。

4期生の國本量平と吉澤公輔は一時期、カフェ・オニヴァで働いていたが、國本はスダチ農家に転身。吉澤はサテライトオフィスの進出企業で働く他、神山メイカースペースや集合住宅にある「鮎喰川コモン」の施設管理など、様々な仕事を掛け持ちしている。

他にも、オーダーメイド靴店「リヒトリヒト」の金澤光記（6期生）、「よろずや万結屋」の佐々木敬太（8期生）など、塾生OBを挙げればきりがない。

祁答院によれば、これまでに塾生同士で結婚した人は11組。神山塾に参加した200人余りのうち、3割に達する78人が神山に残った（その後、神山を出た人も含まれる）。

地元の小学校では、クラスの半分近くを塾生OBの子どもが占める学年もあるほどだ。20代〜30代の若者と神山をつないだという意味において、神山塾が果たした功績はどんなに強調してもしすぎることはない。

コロナ禍の影響もあり、神山塾の活動は停止していたが、2021年11月から活動を再開。2023年には15期が始まっており、再び人材の流入経路になることが期待されている。

前回の著書『神山プロジェクト』でまとめたのは、サテライトオフィスや神山塾までだったが、本書で書いている通り、その後、神山の人材流入経路は、さらに多様化した。

例えば、地域おこし協力隊として神山に移住し、3年の期間が終わった後もそのまま残った人々だ。

このルートには、神山特産のスダチやウメの販路拡大などを手掛けるNPO法人「里山みらい」の代表を務める永野裕介や神山温泉のある上角商店街に「魚屋文具店」を開いた小田奈生子、「moja house」を立ち上げた「もじゃ」こと北山歩美などがいる。

2015年以降は、フードハブや神山つなぐ公社が移住者を惹きつける磁力として大きな役割を果たしている。フードハブで言えば、かまパンの笹川大輔や「Oronono」の松本直也・絵美夫妻、農業研修生の松村静香などが該当する。神山つなぐ公社であれば、高校プロジェクトを牽引（けんいん）した森山円香や大埜地の集合住宅を担当した高田友美など。理事やスタッフの中には公社に採用され、神山に来た人も少なくない。

新しいプロジェクトが次々に始まる神山では、プロジェクトに参画するために、新しい人材が流入するという好循環が生まれている。しかも、アーティストやエンジニア、手に職を持つ人々、20代~30代の求職者など、フェーズによって、流入する人のタイプが異なる。これが、神山の多様性の源泉だ。

この新しい流れに加わるのが、神山まるごと高専やみっけなどの教育プロジェクトだ。特に高専関連の移住者は、学生を除けば教員など教育関連が中心で、これまで神山にはあまりいなかった人々。神山にいる人々とどんな化学反応を起こすのか、今から楽しみである。

もちろん、高専関係者の本分は教育であり、神山のまちづくりとは一義的に関係はない。だが学生に神山との積極的な関わりを求めている以上、教員やスタッフも町や町民と関わっていくだろう。

今後、増えていく高専生とともに「神山プロジェクト」の新たな担い手となるに違いない。

移住者に触発される地元の住民

移住者が流入する状況は、実は地元の人々にも刺激を与えている。様々なプロジェクトを始める移住者に刺激を受けて、新しいことを始める地元住民が増えているのだ。

2018年3月に、「ラーメン居酒屋 どちらいか」をオープンした向井徳郎は、そんな地元住民の一人である。

長年、徳島のバス会社の社員として、徳島―東京間の夜行バスの運転手を務めた向井。東京滞在中にラーメンを食べることが趣味で、東京に行くたびにラーメンを食べ歩いていた。

つくり方を聞いても教えてもらえないため、厨房（ちゅうぼう）で出るゴミや外に置いてある段ボールを見ながら材料や味の想像を膨らませていたという。

定年後には徳島でラーメン店を開こうと考えた向井だが、改めて自分の人生を振り返ると、神山にあまり目を向けてこなかった自分に気づいた。

父親が事業に失敗し、大阪から郷里の神山に引っ越してきたのは10歳の時。小学校で大阪弁を馬鹿にされたこともあり、神山にいい感情は持っていなかった。徳島市内の高校を出た後、就職で大阪に出たのも、自分は大阪の人間だという意識があったからだろう。

徳島のバス会社に就職してからも、夜行バスの運転が仕事のため、市内で暮らしていた。いざ定年を迎えて実家に帰ると、地元の人との付き合いはほとんどなく、神山のことはほとんど知らない。神山に微妙な感情を抱えていたが、戻ってみると、神山に対する感謝の気持ちも芽生えてきた。

ならば、自分が地域の人が集まる場所をつくろう——。

そう考えて、神山に居酒屋を開くことにした。

「転校した時にいじめられたこともあって、神山にいい感情はなかったのですが、定年を迎えた時に、『ここまで勤めることができたのも神山のおかげやな』と素直に感じたんです。であれば、残りの人生で神山に恩返しをしようかなと」

向井はバス会社に勤めていた経験を活かして、神山で唯一の運転代行会社も設立している。夜遅くまで飲めるお店が増えてきた神山において、代行の存在は極めて大きい。向井の恩返しは今も続いている。

2019年3月に「めし処 萬や山びこ」を開いた谷真宏もそうだ。神山生まれ神山育ちの谷は、徳島市内の高校と大学を卒業した後、鳴門市のカフェで店長として働いていた。そんな谷が神山で店を開こうと思ったのは、移住者に沸く神山において、地元住民の影が薄いと感じたことが大きい。

「このままだと、大好きな神山が移住者に植民地化されてしまう。ならば、自分が神山で店を開き、地元住民として盛り上げてやろう。そう思って戻ることにしました」

「ごはんを食べるところやお酒を飲むところが少ないという現状を変えたかったのもあります。僕が子どもの頃、ごはんを食べるところがほとんどありませんでしたから」

オープン後、すぐにコロナ禍に見舞われたが、地域の常連客が支えてくれたため、新型コロナウイルスによる影響もそれほどではなかった。最近は高専関係のお客が増えているが、お店に行けば、移住者や地元の人など誰かしらに会う。

同じUターン組で、「Garden of the forest 森の小さな美容院」を立ち上げた阿部晃幸と月イチでDJイベント「Sound of the Forest」を開催しており、神山の音楽好き、ライブ好きが集まる場としての機能も果たしている。町民や移住者をモデルにしたポスターは完成度を含めクオリティが極めて高い。

彼らの存在は、神山出身者にも好影響を与えている。特にヘビメタ好きの中仙一は、谷や阿部と知り合って見違えるように変わった。

長年、寄井商店街に住んでいた中は、学生の時からヘビメタの大のファンだった。もっとも、神山には同じ趣味の人間はおらず、一人、家の中でヘビメタを聴く日々――。定年後もその生活は変わらなかったが、ある時、Uターンで神山に戻ってきた谷や阿部と知り合う。

自分の娘の同級生だったため谷のことは知っていたが、親子ほどの年齢差である。だが、誰かと趣味を共有することに飢えていたのだろう。すぐに意気投合すると、すっかり山びこやＤＪライブの常連になった。

２０２２年9月、台風14号が吹き荒れる中で開催された、中の定年退職パーティは、胸熱なイベントだった。若い仲間がお金を出し合って中に革ジャンをプレゼントすると、中は人目をはばからず号泣した。熱量の高い移住者の多い神山だが、地元の人間も負けず劣らず熱量が高い。

「60歳まで、ずっと一人でしたから。彼らに会わなければ、ずっと一人でヘビメタを聴いていたと思います」

そんな中の変化は、地元の人間にとっても驚きだったようだ。グリーンバレーの創業メンバーで、寄井商店街で佐藤金物店を営む佐藤も、その変貌ぶりに驚いている。

「あの子はおとなしくてな。僕はよく誘って飲んでいたけど、人前に出るのが嫌で、一人で飲む方が好きな子や。それが、若い子と結びついてなあ。今では地元のおじさんのアイドル。一番変わった地元の子や」

多様性のある移住者とパワフルな地元住民――。神山では、その両者が入り交じった独特のコミュニティが形成されつつある。

なぜ神山を選び移住したのか

この流れは今も続いている。

2022年11月、Sansanのサテライトオフィスがある神山の青井夫(あおいぶ)に、新しいお店がオープンした。それは「めん処 林商店」。メニューはかけうどんのみで、カウンターでうどんの量を伝え、天ぷらなどのトッピングを各自で取るセルフ式のうどん店である。かけうどんの大玉で390円。トッピングも50円からとリーズナブルなため、店が開くとお客でいっぱいになる。

この場所は、もともと店主の夫の両親が営む酒店「林商店」だった。だが、両親が亡くなったため15年ほど前に閉店。その後はずっと空き家になっていた。その空き家をうどん店にしたのは、地域の人が集まる場にしたいと思ったから。

「うどんって、子どもから高齢者まで、みんな食べられるじゃないですか。自分がうどん好きというのもありますが、うどんであれば、みんなが憩える場になるかなと」

お店を開いた店主の林美智代は、そう語る。空き家で何かを始めようと思ったのは、移住者に刺激を受けたからだという。

「町外から来た方がいろいろと始めるじゃないですか。それを見ていると、ずっと住んでいる私たちも頑張らねば、という気持ちになるんです」

移住者が集まり、プロジェクトを始める。その影響を受けた人々が、別の何かを始める。神山では、そんな好循環が生まれている。

神山が他の地域とひと味違うのは、入り口の多様性に伴う移住者の多様性である。

必ずしも狙って始めたものではないという点がポイントだが、KAIR、神山ワーク・イン・レジデンス／サテライトオフィス、神山塾、地域おこし協力隊、フードハブ・プロジェクト、神山つなぐ公社、神山まるごと高専——と新しいプロジェクトが次々と立ち上がり、そうしたプロジェクトを呼び水に、それまでとは異なる属性を持つ人が移住してきた。

「神山をもっとワクワクするような場所に」

そんなモチベーションで神山のまちづくりを始めたグリーンバレーに共鳴した移住者が、それぞれに楽しいと思うプロジェクトを始め、そのプロジェクトに共鳴した人々が神山に移住し、さらに新しいことを始めた。

途中、行政がその輪の中に加わり、さらに大きなプロジェクトが生まれ、それがまた新しい移住者を呼び寄せる。

過去20年の神山を振り返ると、この繰り返しである。

ここで述べているのは、神山という町から見た視点だ。

それでは、なぜ人々は神山を選び、移住してきたのか。

その決断には、それぞれの価値観や生き方、時代背景、仕事に対する向き合い方などが反映されている。

一人ひとりの物語はそれぞれの人生だが、価値観が大きく変わろうとしている今の時代、彼ら彼女らの決断は、生き方を模索する私たちにも大きな示唆に富む。

本章では彼ら彼女らの物語をひもといていこう。

神山を代表する超有名人
荒廃した山の再生に全力

齊藤郁子（さいとう・いくこ）
B＆Bオニヴァ＆Experience店主

B＆Bオニヴァ＆Experience を経営する齊藤郁子は、神山の移住者を代表する存在だ。

神山に移住する前、齊藤はIT企業のアップルに勤めていた。2012年に築150年の元造り酒屋を取得。神山に移住してカフェ・オニヴァというビストロをオープンした。シェフは齊藤の友人で、オーガニックワインの輸入会社で働いていた長谷川浩代。

神山という山の中の立地だが、ホスピタリティあふれる齊藤の接客と長谷川の料理は評判を呼び、神山だけでなく、徳島市内、さらには海外からもお客が訪れる人気店になった。

ところが、コロナ禍の2020年に齊藤はカフェ・オニヴァを閉め、宿泊施設に業態を変える。コロナ禍で客足が途絶えたということもあるが、それ以上にカフェ・オニヴァの経営に忙殺され、神山で実現しようとしていた生活ができないという危機感が勝ったからだ。

今、齊藤はオニヴァに訪れる宿泊客をもてなすと同時に、新たに手に入れたオニヴァ農園でニワトリを飼い、山の再生に乗り出している。

そんな齊藤と私が知り合ったのは、彼女が神山に移住する少し前。カフェ・オニヴァの建物を買うか買わないかの頃だ。当時の齊籐は体力があり余っており、東京・初台にあるアップル本社の51階のオフィスまで、毎日階段で上り下りしていた。

都内の移動にはママチャリを使い、私が齊藤や長谷川と銀座のスペインバルで飲んだ時も、ママチャリで来ていて、驚いたことがある。

　神山まるごと高専のプロジェクトが立ち上がった当初、発起人の寺田親弘は、育成すべき人材像として「野武士型パイオニア」という表現を使ったが、これは齊藤をイメージして用いた言葉だ。

　齊藤のように世の中の先を見据え、自分の信じるプロジェクトを推し進める人が増えれば、日本はもっと良くなると考えたのだろう。

　彼女の生き方は、神山だけでなく、日本にとっても一つのロールモデルになるはずだ。

　B&Bオニヴァ&Experienceの建物は、もともと造り酒屋でした。神山に移住したいと思って古民家を探していた時にこの建物を見つけて。本当に素敵だったので、2012年に物件を取得し、そこから建物の改修を始めました。

　こちらに移住する前は、週末に夜行バスで徳島に行って、日曜のバスで東京に戻るという生活を繰り返していました。

　その後、2013年12月にカフェ・オニヴァをオープン。おかげさまで、多くのお客様にいらしていただきましたが、コロナ禍をきっかけに業態を宿泊施設に変えました。

　直接の理由は、コロナ禍で客足が途絶えたこと。誕生日会の予約が入っていても、参加者が熱を出してキャンセルになるということもありましたし。

　一方で、他のお客様と一緒だと不安なので1棟まるごと借りたいという声もいただいていました。神山はもともとワーケーションで訪れる人が多く、そういう方からも、全部借り切ることはできないかという要望がありました。

　飲食店なので仕方のないことですが、カフェをやっていた頃は食材をたくさん仕入れ、注文の量を予想してつくり、余ったら廃棄してまた仕込む、ということを繰り返していました。そこに疑問を感じていたので、カフェから宿泊施設に変えることを決断しました。

単純に忙しかったというのもあります。持続可能なライフスタイルを求めて神山に移住しましたが、カフェ・オニヴァでの生活が思いのほか忙しくて……。

ひと月をまるっと休みにして旅行に行ったり、年間の営業日数を１６０日にセーブしたりと、できることはしていました。それでも仕込みのことを考えると、定休日でもシェフの浩代ちゃんは休めないし。「何のために神山に来たのか」ということを、浩代ちゃんと話し合いました。

そこで、今は一組限定の宿という業態にして、シェフの浩代ちゃんが、その一組のためだけにごはんをつくる形にしました。

例えば、アルザスのワインと料理をお願いしますと言われればそのように用意しますし、お肉は食べられないのでお魚がいいという話であれば、小松島漁港で魚を仕入れ、その方のために用意します。

コンシェルジュ付きの宿泊施設というと高級なところを想像しますが、気軽なＢ＆Ｂでお客様ごとにサービスを用意するのもおもしろいと思って、今のような形になりました。

長期滞在のお客様、あるいは会社のチームでお越しになって、チームビルディングの合宿所として使うというお客様がいるなど、今の時代に合っていると感じています。

齊藤はオニヴァの他に、「オニヴァ農園」と名づけた農園で持続可能な生活を実践している。神山温泉にほど近い山の中にあるオニヴァ農園には、「ぴーちゃん」をはじめ、二十数羽のニワトリが元気に走り回る。Ｂ＆Ｂの朝食として出される卵も、オニヴァ農園の産みたて卵だ。私が訪れた時はいなかったが、一時は馬を飼っており、馬を動力にして森の木を切り出していた。

実は、業態を変える前に、神山に農園を借りたんです。それがオニヴァ農園です。ここでニワトリや馬を飼い、農作物を育て、ほったらかしになっている山を再生する。そんなプロジェクトを進めています。

この子はぴーちゃん。時々、自分で作詞作曲して歌うんですよ。雅楽のような。なあ、ぴーちゃん。

毎朝、カルシウムを与えるためにカキ殻を金づちで叩いてあげて。このあたりにはニワトリを飼っている方も多いので、いろいろと教えてくれるんです。具合が悪いと思ったら、水の中に唐辛子を混ぜるとか。

この子たちを見ていると、それぞれ個性があっておもしろいですよ。ぴーちゃんは白米ばかり食べるので、痛風気味。冬なのに水ばっかり飲んで下痢している子もいるし、いろいろな草を満遍なく食べる子もいる。

今はちょっとオスが多すぎるので、この間、オスを2羽しめたんです。1羽は私の師匠がしめて、もう1羽は私がしめて。家族を食べるような感覚があって2日くらいは眠れませんでした。仲間をしめたことに、ぴーちゃんも気づいたと思うんです。ぴーちゃんがそれに気づいた時には一瞬、信頼関係が崩れた気がしました。

（しめた鶏は）おいしかったですねー！　スーパーで売っている鶏肉はふわふわだからいくらでも食べられるけど、野生のニワトリは味が濃くて、脂もおいしい。大きさは小さいけど、筋繊維がしっかりしているからおなかがいっぱいになる。カモに近い感じでした。

こうした経験を、たくさんの人に知ってもらいたいと考えています。どうしたって「食べる」ということについて考えるようになりますから。

シカやイノシシの内臓を見るのも、いい勉強になると思うんです。

シカもイノシシも、お肉を取った後に内臓を子どもたちと観察すればいい。私たちは普段、スーパーでお肉を買いますが、お肉として売り場に並ぶまでの過程を知った上で食べる方がいいと思います。

齊藤は神山に移住して以来、森に強い関心を示してきた。戦後、スギの植林ブームが起きた神山では、至るところにスギが植えられた。自給自足のために山の中に切り開いた棚田にも。ところがその後、スギの価値はなくなり、スギ林は見向きもされなくなった。その状況は今も変わらない。

そうして放置されたスギ林は、地表面に日があたらないため、下草が生えず、山の斜面が崩れる一因になっている。成長したスギが水をどんどん吸い上げるため、鮎喰川の流量も減っている。

その現実を知った齊藤は、2014年から神山・大埜地の山林で、サウナ建設プロジェクトを始めた。サウナを研究するため北欧やバルト三国を巡り、セルフビルドでサウナを建てた。完成には6年の年月を費やした。サウナに目をつけたのは、山に唸(うな)るほどあるスギを燃料として使うため。少しずつスギを切り、サウナで燃やした灰を辺りに撒く。こうしてスギ以外の生態系をよみがえらせようとしているのだ。

オニヴァ農園でも、農園の奥にある棚田に林立するスギ林を切り、切り株を基礎に、ログハウスを建てた。今後、ログハウスを訪れる人とお茶を飲み、山の未来を考えたいと思っている。

これからご案内するのは、60年前まで棚田だったところです。その後、スギの植林が進んで山林に変わっています。神山にはこういう場所がたくさんあります。

その特徴は作業道がなく、木を切り出せない点。手を入れていないので、商品価値のある木材は採れません。切り出すこともできないので、ずっとこのままの状態です。山が死んでいる。そして、これからも死に続ける。良くなる兆しはありません。

こういう最低ランクの山に手を入れて、どう変わっていくかを記録しようと思っています。4年前からは毎年、数カ月の間、馬を借りて、できる範囲で木を切り出しています。

手を入れた後は山を森に戻そうと考えていますが、広葉樹を植えると「植林」という意味では同じことなので、生えてくる木をそのままにしようと思います。

この取り組みを始めて1年が経ちますが、変化は出始めています。森の奥に水が湧く水源地があるんですが、水源地の周辺の木を切り始めると、枯れかけていた沢に、少しずつ水が戻ってきました。夏にはカジカガエルも戻ってきたんです。

そんなに奮闘したわけではなく、水源近くの木を切って、毎日、訪れたついでに沢の掃除をした程度。それでも陽の光が入ってきたことで、ミツマタの木が生えています。陽の光と風が入ったら、ミツマタが勝手に出てきた。

こういう山は、誰も注目しないから、お茶でも飲める場所があれば人が来てくれるかなと思って、ここの木を使ってログハウスを建てることにしました。基礎にコンクリートを流すと土地が呼吸しなくなるので、切り株の上にボルトで固定するような形で基礎をつくって。

もし私が死んで誰もここに来なくなってログハウスが朽ちたとしても、腐った木とボルトであれば、動物や自然には危害を加えませんから。

ログハウスは釘を使わず、その場で皮をむいて組んでいくので、環境に負荷を与えません。もちろん、私一人では無理なので、ログビルダーのお師匠さんに教わりながら組み上げました。

この山が再生した後の風景を、私が見ることはないでしょう。私に残された人生と、この山の再生するサイクルが合いませんから。ただ、100年後にお化けになって、「この森はどうなったかな〜」と見に行きたいとは思っています。

齊藤はB&Bオニヴァやオニヴァ農場だけでなく、神山まるごと高専の立ち上げやグリーンバレーの活動にも関与しており、移住者の中でも神山のまちづくりにどっぷり浸かっている。東京でそういう考えに変わりましたね。

あとは、失敗も目的までのプロセスと捉えるようになりました。神山に来て、自分のマインドセットが大きく変わったことは間違いありません。

バリバリ働いていた時と比べて、齊藤の人生はどう変わったのだろうか。

一番大きく変わったのはモノの考え方ですね。アップルで働いていた時は、常にベストを尽くすという考え方でした。

でも、今はベストではなく、自分の力や時間、持っているリソースを客観的に見て、より良い方向を目指して日々実践するというふうに考えが変わりました。

グリーンバレーの大南さんは「創造的過疎」という言葉を使いますが、ベストを尽くしたところで人口減少という現実は変わりません。

大きな目標を立てることで、逆に実現しにくくなるということもありますよね。

1グラム、1ミリ、1センチ――。

それぞれはわずかですが、積み重ねれば大きな変化になるということは、経験的に分かっています。だから、少しずつでもいいからより良い方向に向けて動く。

世界を旅したヒッピーがたどり着いた「終の棲家（ついのすみか）」

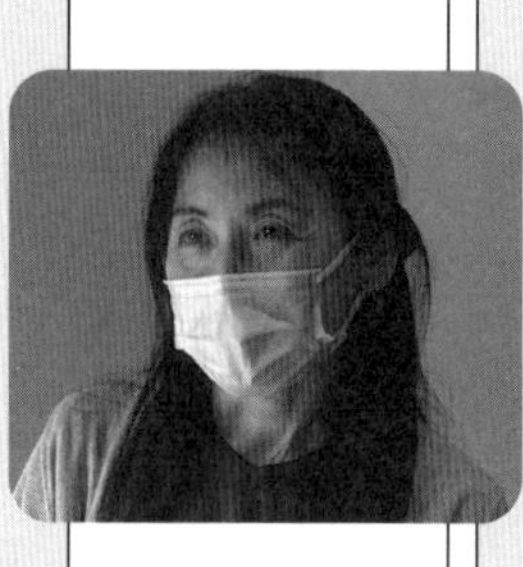

手島恭子（てしま・きょうこ）
COCO歯科院長

ここは、普通の歯科医院とだいぶ違う。場所は大粟山の中腹に開けた高台で、「コットンフィールド」というキャンプ場の脇を上った先にある。道路は舗装されているものの道幅は狭く、途中でクルマがすれ違う場所もない。周辺に隣家はなく、眼下には谷向こうの集落が見下ろせる。まさに山の中の一軒家といった趣だ。

待合室はどこかのカフェのよう。壁は白壁で、ソファがあり、本棚があり、お気に入りの書籍が並んでいる。壁に掛けられた絵画は、擬人化された動物がテーブルを囲む楽しげなもの。ポッセンティというイタリア・トスカーナ出身の画家の作品だという。無機質な病院の待合室とは対極にあるCOCO歯科。手島恭子（ココ）が院長を務める歯科医院である。

歯科医のココが、パートナーの手島史嗣（フミ）とCOCO歯科を開いたのは2013年4月のこと。以来、口コミで評判が広がり、県外からも患者が訪れる予約でいっぱいの歯医医院になった。

2023年2月、およそ10年ぶりにCOCO歯科を訪れたが、変わらない笑顔で迎えてくれた。それにしても、なぜココは神山の山の上に歯科医院を開いたのだろうか。

もともと神山に住もうと思っていたわけではないんです。チャンと私は終の棲家を探すため、ずっとふらふらしていて。たまたま、恵樹さんの彼女と親しかったので、彼らが神山に家を借りたときに、そのまま一緒に住むことにしたんです。

チャンというのは亡くなった元夫で、恵樹さんは2001年の神山アーティスト・イン・レジデンス（KAIR）に参加した中嶋恵樹さんのことです。

実は、移住先は徳島の南の方を考えていて、神山にずっと住むつもりはありませんでした。ただ、神山にいる間に「ここもいいな」と思うようになって。

元夫のチャンは、釣りなど海で遊ぶのが大好きだったので、海の近くで暮らしたいと思っていたんですが、山の暮らしが想像以上に楽しくて。結局、恵樹さんのところには4年半も居候しちゃいました（笑）。

神山の何が良かったって、大家さんをはじめ、ご近所の方がオープンなことです。そもそもKAIRをやっているおじさま方がみなさん、オープンですから。

グリーンバレーの方々ともお付き合いができて、こちらが何かを仕掛ければ乗ってくるし、向こうは向こうで常に何かしようと考えている雰囲気で。のけ者にされた感が全くありませんでした。

当時の私たちは、いかにも怪しい風貌で。チャンなんて髪が長かったものだから、当時はとても怪しまれました（笑）。

それでも、グリーンバレーのおじさま方は、怪しさも含めて私たちをおもしろがっていましたね。

歯科医の家庭に生まれたココは、歯科医を目指して進学した岡山大学歯学部で、元夫のチャンに出会った。当時、チャンは大学病院の歯科に勤めており、講師として学部に関わっていた。

国立大学のお堅い歯学部の中で、ウインドサーフィンやマウンテンバイクに打ち込むチャンは異質の存在だったという。しかも年は8つ上。恋人として付き合い始めると、周囲から釘を刺された。「あんな遊び人はやめた方がいい」と。だが「彼は単に楽しいことが好きなだけ」と感じたココは、大学を卒業した翌年にチャンと籍を入れた。

新居はココが生まれ育った姫路の高層マンションの最上階。歯科医院で働く一方、休日はスキーに行ったり、マウンテンバイクで山を下ったり、映画を見たり、家に友達を招いたりと、贅沢な暮らしを楽しんでいた。

だが、そんな生活に疑問を持ったチャンとココは、結婚4年目に歯科医を辞め、放浪の旅に出た。1998年5月のことである。

メキシコを皮切りに、中南米に1年、ヨーロッパに1年、アジアに半年の都合2年半、バックパックで海外を回っていました。

結婚後、短期の海外旅行には何度か行っていましたが、長期の旅行は一度もなくて。長い旅を経験をしたくて旅に出たんです。二人とも歯科医ですし、その気になれば、いつでも戻れるのも大きいですね。

ただその頃は、歯科医の生活を続けたいと思わなかったんです。当時はまあまあリッチな生活を送っていましたが、「こんな生活をしていていいのかな」とずっと感じていました。世界には大変な生活をしている人もたくさんいるのに、日本では過剰に生産して、過剰に消費して。そういう暮らしに疑問を持ったんです。チャンもよく言っていました。「日本はヘンな国だなあ」って。

旅ではおもしろそうなところに行って、おいしそうなものを食べて、安くて快適な宿を探して……という毎日の繰り返しでした。

生活水準を見れば、中南米は日本よりも貧しい。でも本当に貧しいかといえば、決してそうではない。物質的な価値とは違う価値観があって、物質的な豊かさとは異なる幸せもある。そういう考え方を教えてもらいました。

ヨーロッパでも、古いものの価値や光の使い方とか、いいなと思えるものがたくさんありました。今の病院の待合室に飾っているポッセンティの絵に出会ったのも、イタリアの旅でした。

あるレストランで、すごくヘンな絵が飾られていて。気持ち悪いのかかわいいのか、よく分からないけれどワクワクする。お店の人に聞いてみると、地元の作家の作品だという話で。アトリエに行ってみたら、作家さんは不在でしたが、絵はいろいろあって。将来また歯科医院を開いた時に待合室に飾れたらいいなと、連れて帰ってきました。

いい場所があれば、そのまま海外で暮らしてもいいかなと思っていました。実際、そう思える場所がないわけでもなかったんです。でも、結局は日本に戻ってきました。

経済的な理由もありましたが、チャンも私も、周囲が良くなるように働きかけながら生きたいと思っていて。海外だと言葉の問題もあるので、なかなか難しいですよね。それなら日本でやろう、と。

それで日本に帰ってきた後、旅を始めました。「終の棲家を探す旅」と勝手に名づけて、大人二人と犬一四、ランドクルーザーで寝泊まりしながら、九州や四国を回ったんです。

合計で1年半くらい旅をしていたでしょうか。最終的に終の棲家の候補を高知と徳島に絞ったんですが、縁あって、古民家を借りたばかりの恵樹さんのところにお世話になりました。2002年の夏のことです。

神山での暮らしを始めたチャンとココ。神山を終の棲家と決めたわけではなかったが、徐々に神山に引き込まれていった。何より、循環的な山の暮らしが二人の性に合った。

生活の基本は薪。料理をするのも風呂を焚(た)くのも、山で集めてきた薪を使った。その後、パンづくりにはまったチャンはかまどの余熱を熱源にしたオーブンを自作。月に20キロものパンを焼き、友人や知人に配り始めた。チャンのパンを知る人は、誰もが「絶品だった」と口を揃える。

そうこうしているうちに、グリーンバレーの存在を知ったチャンは、グリーンバレーの活動にのめり込むようになった。アーティストや視察者が来訪した時は、チャンが神山を案内。ボランティアで道路を清掃するアドプト・プログラムにも積極的に関わった。特に力を注いだのが大粟山の再生、「粟生の森づくり」だった。

きっかけは、2002年に来訪したアーティストが大粟山の中に、勝手に作品をつくったことにあった。大粟山は神山の里山的な存在ではあるが、山は複数の地主がいる私有地で、断りなく手を入れることは普通できない。ただ、この時は作品が完成していたこともあり、大南が地権者に頭を下げることで、とりあえず収めた。

ところが、翌年も別のアーティストが大粟山に作品を制作したため、山を自由に使わせてもらうよう、初めから地権者に話を通しておくことにした。そのお礼として有志のボランティアが大粟山の間伐や枝打ち、下草刈りなど山の手入れをすることになった。この粟生の森づくりに誰よりも打ち込んだのがチャンだった。

「チャンさんと話をすると、みんなあの人のファンになるんよ」。大南が振り返るように、周囲の人を惹きつけるチャンは、グリーンバレーにとっても欠かせない存在だった。心は自由で寛容で、地球的な視野でモノを見る。人をもてなすことが大好きで、山や川をこよなく愛する自然人。

グリーンバレーがKAIRなどの取り組みを進めた目的の一つは外部の異なる意識を入れること。その意味で、チャンはグリーンバレーが求める理想的な人間だった。

神山を終の棲家に定めたチャンはカフェ兼歯科医院の開業を決め、そのための土地を取得した。

大粟山の南斜面にある栗林。ここに残されていたトタン葺(ぶ)きの倉庫を手に入れ、ココと二人で暮らし始めた。2006年のことである。

だが、カフェ兼歯科医院をつくるというチャンの夢は頓挫する。病魔に侵されていることが判明したのだ。その後、闘病生活を送りながら準備を進めたが病状は悪化。２００８年末に永眠した。

神山を終の棲家に決めた時は大丈夫だったんですが、その後に……。「終の棲家」と言って神山まで来て、結果的に最後までいることになりましたが、本当にいい時間を過ごすことができました。

チャンがいなくなるまでは、コツコツ家を直したり、カフェの開業準備をしたりしていたんですが、闘病やチャンの体調不良もあって、計画はストップしました。ただ、チャンが亡くなって1年経った頃に、ようやく私一人でもやろうかな、という気持ちになって。

もともと、この場所で何かをやろうとは思っていたんです。彼にはカフェという目標があったので、私はその片隅で歯科医院でもやろう、と。ニワトリやヤギを飼おうとも話していました。

ただ、一人になってみると、食べるのは好きだけど、料理は人に提供するほどではないし、一人でニワトリやヤギを飼うのもハードルが高い。ただ歯科医の仕事は好きだったので、神山に関わる手段として歯科医院がいいなと思っていました。終の棲家と決めたところですし、神山で何かのお役に立てれば、と。

どんなクリニックにするかというイメージは、チャンとも話し合っていました。待合室はどこかの家のよう。近所の人が気軽にやって来て、お茶でも飲みながら世間話をする。建物はなるべくナチュラルなものにして、絵本や写真集など、気持ちを和ませるものを置いて。チャンは「和みの場」と表現していましたが、私もそういう歯科医院にしたいと考えて、ここにつくりました。

私は、神山に腰を落ち着けてからも、徳島市内の歯科医院で勤務医をしていたんです。神山の生活を楽しみたかったので週2〜3日でしたが、神山からわざわざ来てくれる人もいて。「神山にクリニックを開いても大丈夫だ」という自信もつきました。フミ（手島史嗣）もその前提で来てくれたしね。

一人残されたココを見て、彼女を知る町の誰もが心配した。「実家のある姫路に帰るのではないか」と考える人もいた。

だが、ココは神山に残った。その背景には、フミの存在も大きい。フミは、ココが海外を放浪している時に出会った。フミは1999年から2007年まで、タイ北部のパイという町でゲストハウスを経営していた。そこに、ココとチャンが客として訪れた。最初の印象は強烈だったとフミは語る。

フミ　日本人が来たという噂は聞いていたので、多分ここだろうなと思って、ライブミュージックを流すバーに行ってみたんです。

そうしたら、チャンがミュージシャンの前でジャンベ（アフリカの太鼓）をパカパカ叩いていました。そんな日本人は、これまで見たことがなくて。

その時はうちのゲストハウスで3泊くらいしたのかな。当時、パイには日本人がほとんどいなかったし、夫婦二人で大きなバックパックを背負っていたので、ココを見て、小さな体でよく背負うなと思っていました。いろいろな日本人を見ましたが、二人はとても印象に残っていました。

その後もゲストハウスは続けていたんですが、2007年の洪水で流されてしまって。1回リセットしようと思って帰国して、愛知県や高知県の施設で理学療法士として働き始めたんです。僕はもともと理学療法士なので。

2009年くらいかな。たまたま徳島で勉強会があった時に、チャンとココが徳島の神山というところにいたなと思い出したんです。メールが送れなかったので、道の駅に行って、『チャンとココという、パンやピザを焼いている関西出身の二人を知りませんか』って尋ねて（笑）。チャンが亡くなって、2週間後のことでした。

この時は電話だけで、フミがココに会うことはなかった。だがこの電話をきっかけに、フミとココはメールでのやり取りを始めた。

その後、フミはグリーンバレーの存在を知り、粟生の森づくりに加わるようになる。当時は高知県の室戸で働いていたが、毎週のように神山に通った。そして、二人は惹かれ合った。

ココ　なんででしょうね。それは分からんな（笑）

フミ　僕もよく分かりません（笑）

ココ　ただ、遊んでいた時のチャンと私を知っているというのは大きいかも。当時の私は、髪がすごい色になっていましたし、フミも髭がもじゃもじゃで、髪が腰までありましたから。

フミ　日本で生活していると、お互いに背負っているものを見ながら徐々に距離をつめて友人になりますよね。でも旅先だと、お互いのバックグラウンドとか関係なくつながれる。僕たちはタイで面倒くさい垣根が取っ払われていたので、シンプルに、自然に近づけたのかもしれません。

ココ　最近、神山に入って来る人は、チャンのことを知らない人が多いので、すごく切なくなる時があるんですよ。でも、彼はチャンのことを知ってくれている。それが私にとっては大きな支えになっています。

電通を辞めて神山に移住
ワクワクの先に掴んだもの

村山海優（むらやま・みゆ）
学校法人神山学園・
学生募集チームリーダー

2023年4月に開校した神山まるごと高専は、移住者を呼び込む新たな磁力となっている。その中の一人に、神山まるごと高専の広報や生徒募集を担当する村山海優がいる。神山に来る前はイベントやスペースを用いたライブマーケティングを手掛ける電通ライブで働いていた。

2020年のドバイ国際博覧会（ドバイ万博）では日本館のプロデュースという大役を担ったが、その後、神山まるごと高専の学生募集のイベントに関わった縁で、学校法人神山学園に転職した。

東京でバリバリ働いていた村山は、なぜ神山に来たのだろうか。

神山に来たのは2022年8月のこと。学校法人神山学園に転職したその日に移住してきました。

高専で働こうと思ったきっかけは、当時、働いていた電通ライブで学生募集のイベントを受注したことでした。その時、神山まるごと高専のクリエイティブディレクターを務める山川咲さんに出会って、仕事をする中で「こういう仕事があるんだけど」と声を掛けていただいたんです。「移住もセットなんだけどね」と言われて、「あっ、移住もか」と。

電通ライブでは、いろいろなイベントを担当しましたが、印象深かったのは2020年のドバイ万博日本館プロジェクトです。入社して2年目の2018年からずっと担当していて、2020年、いざ本番と思ったら新型コロナウイルスが来てしまって。

　結局、ドバイ万博の開催そのものが1年延びたので、2021年10月から2022年3月まで万博関連の仕事をして、その後すぐに高専の話をいただいて、2022年8月に神山に移住しました。

　電通の仕事もおもしろかったのですが、高専の話をいただいた時に「行った方がおもしろそうだな」「もう行くしかない」と感じたんです。

　住む家がすぐに見つかったというのも背中を押しました。神山は住宅不足が深刻ですが、神山を見に行った時にすぐに紹介いただいて。これも「神山に行きなさい」ということなのかな、と。

　家具などの備品は、神山の「モノストック」で揃えました。神山は、移住交流支援センターが空き家を片づけています。その空き家から出て所有者がいらないと言ったものは、町民や町に勤めている人が持って帰れるんです。ドネーションなので、気持ち分のお金を寄付して。

　神山では、家具だけでなく、野菜もいつもたくさんいただいています。


**　2017年に電通ライブに入社した後、仕事に打ち込んでいたという村山。仕事のスケールも大きく、やりがいを感じていたが、コロナ禍になり、そんな生活に違和感を覚え始める。そして、常に「意味」を求めてきた自分に気づく。**


　もともと自然が好きで、週末はスキューバダイビングやキャンプに行っていました。ただ、週末に自然に触れるために平日はがむしゃらに働くという生活がどうなのかなと感じることがありました。

　自然が好きで働いているのに、平日の暮らしが自然を壊しているかもしれないと思うことがあって。平日、遅くまで働くと夕食はコンビニで済ませますし、仕事で手掛けたイベントも、終わればいずれは解体します。

「これって私がやりたいことなのかな」とふと思った

んです。

私の仕事はリアルのイベントなので、コロナ禍で一度、仕事が落ち着いたんです。その時に「あれ、何やってんだろう」と思ってしまって。

実はその時、一度神山を訪れているんです。コロナ禍で暇になって、一人で神山町と上勝町を旅しました。神山がサテライトオフィスや神山アーティスト・イン・レジデンス、上勝町は葉っぱビジネスで有名なのは知っていたので、一度見てみたくって。

以前から、イベントを手掛ける中で、リアルな現場で起こる予測不能な出会いがおもしろいと感じていました。何が起きるか分からないけど、ふとしたきっかけで誰かと出会い、その会話からおもしろいアイデアが生まれる。それは楽しいですよね。

もう一つ、五感が優位になるという点も魅力でした。心地よい音や圧倒的なビジュアル、おいしい料理は、理屈や論理ではたどり着けない感動をもたらしてくれる。このリアルの力がおもしろいところだな、と。


実際に神山に住んでみると、自然豊かな環境やいろいろな人の出入りがおもしろい動きを生んでいる。川の音や霧がかかった朝の湿った空気、森のにおいや野焼きのにおい、石積みの景観など、五感に訴えかけてくるものもたくさんある。

今はまだ神山に来たばかりで、この町の奥深さを知り切れてはいませんが、この辺が神山に惹かれる理由だと感じています。

自分の仕事に疑問を感じつつもドバイ万博の仕事が終わり、ドバイから帰ってきた後、比較的早いタイミングで（神山まるごと高専の）咲さんに食事に誘われました。そこで「高専どう？」という話をいただいて。

もともとこの先もずっと電通で働き続けようと思っていたわけではなかったのですが、咲さんの話を聞いて、直感的に「ああ、これは行くことになるんだろうな」と思いました。

私は関東の出身で、徳島とは縁もゆかりもありません。周りの人も「神山ってどこ？」「もう一回考えてみなよ」という反応で。それでも、咲さんに会った直後に神山を訪れて、既に働いている高専のメンバーと話す中で、やっぱり「これは行くな」と確信を持ちました。

新卒で働き始めた頃は、仕事人間になろうと思っていました。20代で働いたことや稼いだことが、30代以降の自分の人生をつくるんだと本気で思っていて、がむしゃらに働いていたんです。

でも、自分の仕事と仕事以外の好きなことがつながっていなかった。コロナ禍の中で、その違和感に気づきました。神山に移住すると、仕事と生活がつながっている感じがして、心地いいんです。

あと、東京の頃はがむしゃらに働いているのに、本気でやっていない感覚がありました。クライアントに偉そうなことを言っているにもかかわらず、広告代理店という特性上、最終的な判断や責任はクライアントに委ねます。一生懸命仕事はしているけど、最終的に責任を負う立場ではない。「これって本気でやっていると言えるのかな」とも感じていました。

それが、神山まるごと高専に来てみると、みなさん清々（すがすが）しいくらいに学生のことだけを考えて働いている。本気で仕事をすることが本気で生きることなんだなと、日々感じています。

これまでの人生は、意味を求めて生きてきたような気がします。神山に行くことについても、そこで数年キャリアを積んで「その先どうなるのか」と考えていたと思うんです。転職に意味を求めていた。

でも、神山の人はあまり意味を求めていません。ただ目の前のことが楽しいからやろうよ、という人ばかりです。神山まるごと高専の人たちもそう。何かをするのに意味なんて求めなくていいということが、少しずつ分かってきました。

仮に私が電通ライブに残っていたら、きっと大阪・関西万博のプロジェクトに手を挙げていたと思います。ただコロナ禍で立ち止まった時、大阪・関西万博が終わった未来の自分の姿が、「等倍の未来」にしか見えませんでした。今できることが多分、倍になっているんだろうな、と。確かに成長はしているけれど、その成長が予想できるというか。

私、大阪・関西万博の年に30歳になるんです。電通での仕事を続けるか、目の前にある全く訳の分からないチャンスに飛びつくか。そう考えた時に「絶対こっちじゃん」と神山を選んだのは、自然な判断でした。

東京にいる時は、他の人から認められるようなキラキラした生活やかっこいい仕事を求めていて、誰か別の人の価値観で生きている感覚が強かったように思います。でも、今はようやく元の自分が戻ってきた。

私は高校まで、ずっとバスケットボールをやっていたんです。高校でやめましたが、バスケだけに向き合っていた時代もあって。大学時代もスキューバダイビングにはまって、日本中の海に潜っていました。

今は、その瞬間にとても近い。だからこそ、今の生活はめちゃめちゃ楽しいですね。

会社員を辞めてなんでも屋ジジババに見た生きる力

佐々木敬太（ささき・けいた）
よろずや万結屋店主

神山は桜の名所として知られており、毎年3月後半から4月にかけては、町の各所で桜が咲き誇る。中でもひときわ目を引くのは、道沿いに植えられたしだれ桜だ。桜の時季、滝のように流れ落ちるしだれ桜の中を歩けば、神山という町に魅了されることは間違いない。

このしだれ桜を植えているのは、「神山さくら会」という地元のNPO法人だ。2007年の発足以来、神山にしだれ桜を6000本以上、植樹している。接ぎ木苗の生産は神山さくら会の会員が手掛けているが、それを植える前の整地や植樹は地域住民とともに進めている。目標は、神山の国道沿いをしだれ桜で埋め尽くすこと。

神山さくら会のメンバーの唯一の移住者、それが「よろずや万結屋（まんきつや）」の佐々木敬太だ。彼は庭師を軸にしたなんでも屋で、屋号の「万結屋」には、ひと、もの、こと、場所などあらゆるものを結んでつなげるという意味が込められている。

佐々木の顔は広く、パーマカルチャー系やIT系、アート系など、様々なタイプの移住者や、神山で生まれ育った地元住民とも深く結びついている。

2022年2月、そんな佐々木の誘いで、神山さくら会の植樹会に参加した。この時は、神山さくら会の唯一の若手として、参加者に植樹の方法や植樹後の支柱の立て方などを実践していた。

佐々木はなぜ神山に来たのか。そして神山で、どんな生き方を実践しているのか。

家族と一緒に神山に移住したのは2020年と最近のことです。ただ神山には友人も多く、よく遊びに来ていて、神山との関係はけっこう古いんです。もう10年ぐらいになるかな。

僕は徳島県三好市の出身で、高校を卒業した後は地元のスーパーで会社員として働いていました。スーパーの仕事はおもしろかったのですが、働き始めて2年～3年後に東日本大震災が起きて、商品がピタッと来なくなったんです。工場の被災や都会での買い占めなどが原因で、本当に何も届かなくなった。当然、スーパーの売り上げも落ちましたし、僕もクレーム対応などで大変でした。

でも、田舎のジジババの生活は、何も変わらなかったんです。自給自足のカルチャーが残る田舎では、スーパーの棚から商品が消えても普通に暮らしていける。生活がびくともしないんです。

僕は子どもの頃から三好市の山間部に住む祖父母の家によく遊びに行っていたので、自給自足的な生活は知っていましたが、改めて「田舎ってすごいな」と感じました。お金でモノを買う行為が生活の根底にある違和感と不安を、初めて認識したのはこの時です。

その後、里山での古民家暮らしに憧れを持つようになったのですが、その暮らしを実践する前に、介護の仕事に転職しました。もともとジジババっ子だったということもありますが、スーパーでのある出来事が引き金になったんです。

スーパーで働いていた時、万引きGメンのような仕事をしていました。万引きと迷惑行為の多いおばあちゃんに張り付いて、行動を監視する。今思うと、認知症でお金を支払うプロセスが抜けたり、認知機能の欠落で場所がよく分かっていなかったりしたんだと理解できるんですが、当時の僕はそれが分からず、おばあちゃんにひどいことを言ってしまったんです。

しばらくすると、そのおばあちゃんが店に来なくなって、「少し楽になったなあ」と思っていたら、近所のコンビニでばったり会ったんです。その時は、さわやかなお兄さんと楽しそうに買い物をしていました。デイサービスの買い物支援サービスだと、後で分かるんですけどね。

この時に、「オレ、ださいなあ」って本気で思っちゃって。

僕の原風景は、ジジババと過ごした田舎の里山。母方の祖父がよろず屋で、大工から農業まで、何でもこなして地域の困り事の相談にも乗っていました。祖母が「また、どっか行っておらん」と怒るほど動き回っていたんです。

父方の祖母も山村の百姓そのままの働き者で、はつらつとした笑顔が素敵でした。一方の祖父は心の病があり、長く精神科病院に入っていました。会う時はいつも鉄格子の向こうでしたが、とても優しい人で、僕は大好きでした。

ジジババが大好きだったのに、高齢化の現実が何も見えていない。そんな自分に気づいたんです。買い物に来ているお客さんの半分が高齢者なのに。

それで、介護の道に進もうと思ってスーパーを辞めました。24歳～25歳の頃の話です。

スーパーを辞め、介護の仕事に転職した佐々木だが、２０１６年の結婚を機に田舎暮らしを本格的に検討し始める。そして２０１６年9月に神山塾8期生になると、卒業後は美馬市の古民家で暮らし始めた。仕事は庭師である。

介護の仕事もやりがいはあったんですが、結婚して子どもを授かった時に、「このままずっと介護の仕事を続けるのか」という疑問がよぎりました。介護の仕事は嫌いではないし、社会的に重要な仕事だけど、「子どもにどんな背中を見せればいいのか」ということを考えた時に、違うのではないかと感じました。

そこから思い切って、昔から憧れていた里山の古民家暮らしを実践しようと決めました。

神山塾に入ったのは、田舎暮らしを勉強するのにちょうどいいと思ったからです。妻が神山塾の7期生だったので、神山塾のことはよく知っていました。

卒業後は、美馬市の山間部にある築150年の古民家で暮らし始めました。ガスのない家で、薪を使った昔ながらの生活です。

仕事は、庭や園芸を軸にまちおこしをしている阿波市の植木屋さんにお世話になりました。大工作業も重要ですが、それ以上に土木作業は田舎暮らしでは重要なスキルなんです。それで、庭師になろうと。

神山に移住したのは、家が見つかったからです。もともと神山塾にいた時から神山で家を探していましたが、なかなか見つからなくて……。

神山に来てからは「よろずや万結屋」として活動しています。園芸土木を軸にした、なんでも屋です。季節によって仕事はいろいろで、庭木の剪定や薪割り、煙突掃除など、頼まれればなんでもやります。

意識しているのは、仕事を通して、人と人、人と自然をつなぐこと。

例えば、庭の手入れの仕事をいただいたら、お家（うち）の人と一緒に庭仕事をしたり、城西高校神山校の子どもを巻き込んだり。いろいろな人が関わることで、庭そのものだけでなく、植物や石、田舎の暮らしなどに興味を持ってもらうこともできますよね。

不思議なもので、仕事はそれなりに成り立っています。地域の方々や移住者とのつながりが増えると、いろいろと声をかけてくれるんです。それも、今はスーパーに勤めていた時よりも稼げています。それでいて、神山の暮らしは生活コストが低い。

僕は、仕事を3種類に分けています。

ビジネスワーク、ソーシャルワーク、ライフワーク。

ビジネスワークはお金をいただく仕事のことですが、報酬はお金だけに限りません。コメや野菜でもらうこともあるし、英会話を教えてもらうこともあります。

最近は、キッチンカーで天ぷら屋さんも始めましたが、これもビジネスワークの一つです。

ソーシャルワークは、神山さくら会の植樹作業のような仕事です。こちらはボランティアですが、僕としてはここで経験値を稼いでいます。庭師としての経験値というのもあるし、チームワークやネットワークの経験値という面もある。

最後のライフワークは、僕が生きるための活動です。友人と椎茸栽培をしていますが、これは自分たちで食べるため。コロナ禍前にしていた、ちんどん屋さんの活動もそう。今後は神山でサーカスクラブをつくろうと思っています。ピエロの格好でパントマイムをしながら地域を笑顔にしたいなって。

この3つをうまく分けながら、人と人をつなぐことを大切に仕事をしています。

会社員の時は、家で過ごす時間が圧倒的に少なくて、考えて動いても仕事は職場の中で完結していました。でも、神山ではずっと考えているんですよね。明日は何をしよう、今はこれをしないといけない、いつまでにあれをしなければいけないって。タスクがてんこ盛り（笑）。暇は、意図的につくらないとできないので、今は何もしない日をあえてつくっています。

興味のある仕事しかやらない「薄く広く」という働き方

野原洋介（のはら・ようすけ）
野原奈津美（のはら・なつみ）

神山に深く根を張る神山塾OB。もとは神山に縁もゆかりもない人が大半だが、不思議なことに半年間の研修を終えると、少なくない数の卒塾生が神山に残っていく。神山塾の2期生だった野原奈津美と夫の野原洋介の野原家もそうだ。

神山塾に参加した奈津美が神山に残ったため、神山で暮らすことになった奈津美と洋介。卒塾後、ソノリテのサテライトオフィスで働き始めた奈津美に対して、一つのことが長続きしない洋介は、いろいろな仕事を転々とした。

だが今の時代、「興味の向く分野を広く浅く」という働き方はそれほど悪いことでもなく、自由な生き方を手にしているようにも見える。

奈津美　神山に来たのは神山塾がきっかけでした。2011年に始まった2期生に応募したんです。神山塾に来る前は、大阪で情報誌の仕事をしていましたが、雑誌の休刊でチームが解散したんです。東京で仕事を探そうと思っていた時に、「こんなんあるんや」と。神山のことは知りませんでしたが、「神の山」なんてすごい名前だと思って来てみると、ただの田舎でした（笑）。

神山に残ったのは、神山塾の同期のトイトイ（樋泉聡子、現在は隅田聡子）に「残らへんの？」と誘われたから。私は京都に戻って営業職でも探そうかなと思っていましたが、神山もいいかなって思い直しました。

神山塾を卒業した後は、神山の椎茸農家さんのところでバイトしていましたが、ソノリテのサテライトオフィスが立ち上がったこともあって、立ち上げメンバーとして参加しました。その後、産休に入って、今は、TATEITOという東京の会社に勤めて、動画編集の仕事をしています。完全リモートワークですね。

洋介　僕が神山に来たのは2012年6月かな。ヨメさんが塾生の時に、何度かこっちに遊びに来ていたんです。だからこっちに引っ越して来た時は「金魚のフン」と言われてました。神山に来たのは……好奇心ですね。神山に来て、僕の人生がどうなるのか興味があったんです。

僕は高校を出た後、住設メーカーで働いていました。本社採用だったんですが、興味のある仕事でもなかったので毎年のように異動希望を出して、勤めていた7年間で4回転勤しました。未来が決められたように感じて、耐えられなかったんです。「なんでみんな、耐えられんの?」とゾッとしていました。

その後は、地元でテキトーに暮らしていました。トラックの運転手をしたり、友人のラーメン店を手伝ったり。ラーメン店はけっこう繁盛していて、店長を頼まれたけど断りました。飽きちゃうんですよ。

神山に来た頃は30代前半で、そろそろちゃんとしないといけないタイミングではあったんです。だから神山で自分がどうなるのかに興味があった。

奈津美　神山の何がいいって、人がいいのが一番やな。自分たちのしていることが生きることに直結しているのもいいよね。シカ肉をもらってさばくとか。そういう意味では洋介はいいよね。めっちゃうらやましい。

洋介　うちは、ヨメさんの方が働いている時間も給料も多いので、僕は世間的にはヒモ扱いされています。でも僕は僕でいろいろやっているんです。家のメンテナンスもやるし、シカやイノシシを解体して精肉にするのも僕の仕事。夕食もたいていはつくっています。

仕事も定職がないだけで、働いていないわけではない。最近は雨もりドクターのところで大工仕事を手伝っているし、木を切り出すために林業架線を張る仕事もたまにしています。木を切り出す仕事や、シカの角を削ったボタンづくりとか。今はやっていないけど、牛のセリと庭師の仕事に戻るかもしれない。

僕はどの仕事も長く続かないけれど、そこそこできるようにはなるんです。中途半端に仕事の手を広げて何一つ一人前にはならないという声もあるかもしれませんが、うっすらといろいろなことをやる今のスタイルだからこそ、ストレスなく快適に生きていられる。

今は働き口がいろいろあって、自分でどの仕事にするかを決めることができます。仕事の内容はどれも自分の興味のある分野で、働くかどうかも自分で決められる。しかも働く先に嫌いな人間が一人もいない。

生涯賃金云々の話はあるかもしれないけど、それを重視するなら会社員を辞めてないですよね。いろいろな仕事をしていると、毎日が社会科見学のようで労働している感覚が薄いし、一つの仕事がダメになっても別の仕事があるので常に食べていける。

最近は、「やりたくないことはしない」という人生の方向性が見えた気がするな。僕、林業の中でも木を切るのは好きなんですけど、山から木を搬出する作業は嫌なんです。だから、いつまでたっても一人前にはなれない。農業も、結果が見えるのに時間がかかるのでできないんです。

奈津美　洋介の働き方はめっちゃいいな。他の人と同じことをしていても仕方ないからな。私はもう少し仕事をセーブしたい。神山で暮らしているからこそ、したいことがあるのに、仕事が忙しくてできていないんです。稼ぎは少なくてもいいから時間がほしい。

洋介　そういえば昔、えんがわオフィスの面接を受けたんです。サテライトオフィスで仕事をしようと思って。面接で隅田さんに、「どんなことをしたいの?」と聞かれたので、「神山で事業を起こすなら、ナマズの養殖をしたい」と答えたんです。そうしたら、「君はこんなところにいる人じゃない」って（笑）。確かに、違うかもしれない。でもおかげさまで、今はいい感じの生活になっています。

独力でつくった天空の植物園
岳人の森のぶれない生き方

注）写真は勲夫婦

山田勲（やまだ・いさお）
岳人の森・主
山田充（やまだ・みつる）
観月茶屋店主

四国の山奥に、山野草好きに愛されている植物園がある。四国山岳植物園「岳人の森」。山深い徳島県神山町の最深部、土須峠に近い標高約1000メートルの高地に開けた天空の植物園である。

ここには約1500株のシャクナゲをはじめ、ヒメシャガやレンゲショウマ、シコクカッコソウなど、地域に自生する400種の希少な山野草や高山植物が植えられている。とりわけシャクナゲが咲く5月上旬は、山肌が薄桃色に染まる。その美しさに、来訪者が思わず息を呑（の）むほどだ。

2020年の大型連休は新型コロナウイルスの影響で休園状態だったが、例年は5月の大型連休の時期は大勢の観光客で賑（にぎ）わう。

希少な山野草を扱う植物園は他にもある。その中で岳人の森が唯一無二なのは、一人の男が私財をなげうって、ハンズオンでつくり上げた純民間の植物園だというところにある。自然保護と地域おこしに人生を懸けた信念の男と、その志を継ぐ息子の物語――。

シャクナゲの記憶

山田勲、74歳。彼は神山町を流れる鮎喰川の最深部にある上分（かみぶん）という集落で生まれ育った。彼が少年時代を過ごした昭和30年代～40年代は林業の最盛期。戦後復興に伴う木材需要の急増で、地元産のスギが飛ぶように売れた時代である。

長男だった山田は家を継ぐため、徳島市内の高校を卒業した後、19歳で上分に戻った。1968年の話だ。

もっとも、地元に戻った山田はすぐに異変に気づいた。毎年5月、尾根筋を眺めれば、山肌に広がった濃緑のキャンパスに薄桃色の群生地をそこかしこで見ることができた。だが、戻ってみるとその数が明らかに減っている。戦後の植林ブームでスギやヒノキを植林した影響だった。

残すべきところは残さないと本当になくなってしまう——。そう感じた山田は、群生地を守るため、自分でシャクナゲを植えようと思い立った。

「地元のシンボルであるシャクナゲを植えて、自然を守る象徴的な場所にしたいと思ってね。自分ができることをしようという気持ちだった」

もちろん、衰退していく地域を盛り上げたいという想いもあった。

折からの高度経済成長で、地域の若者は東京や大阪などの大都市に流出しており、上分はもとより、神山町も徐々に人口が減り始めていた。住民が減り、地域の活力が失われる中、地域の持続的な発展を考えられるのは残った人間以外にいない。

そのために何をすべきか。若き日の山田はシャクナゲ園を軸にした観光で地域おこしをしようと考えた。観光を仕事に組み込めば、自分の仕事を通して、地域の発展に貢献できると思ったのだ。

「地域おこしってなかなか続かないんですよ。みんな自分の本業のかたわらにやるから、どこかで挫折してしまう。でも、自分の仕事であれば続けることができる。私にはそれが観光だった」

そして1972年、23歳の山田はシャクナゲの森をつくり始める。

場所は、集落の共有地だった山林だ。その中でも、岩が多くて植林に不向きだった一帯を自身の持ち分として手に入れた。

「あんな山をどうするのか？」と地域の人々はいぶかしんだが、山田には山田なりの考えがあった。その場所は共有林の一帯で最も平坦(へいたん)で、見晴らしが良かったのだ。林業には不向きだが、将来の山野草園に向いているのは断然こちらである。

「こんな山奥に人なんて来るはずがない」

憑(つ)かれたように動き始める息子に父親は反対したが、山田はこう言って押し切った。

「できようができまいが、挑戦できることをしたい」

素人の執念

ただ、夢と熱意こそあれど、23歳の若者には資金も人脈もなかった。

そこで、山田は、日銭を稼ぐためにキャンプ場をつくることにした。当時、水場やトイレのあるキャンプ場は徳島県にほとんどなく、一定の需要が見込めると思ったのだ。

手に入れたブルドーザーで道をつくり、山の湧き水をホースで引き、簡単なトイレを設置した。すべて独力である。

「湧き水を引いたホースの距離は1000～1200メートルくらいかな。断崖絶壁にもホースを通した。『おまえ、これを一人でやったのか？』と父親もビックリしていた」

キャンプ場を整備するかたわら、山田は地元の住民に分けてもらったシャクナゲをせっせと植え始めた。集落の人間からは変人扱いをされ、「あんな山をもらって損したな。息子の機嫌取りか」と父親に心ない言葉を投げかける人もいた。

だが周囲の雑音は気にせず、山田はキャンプ場の整備とシャクナゲの植え付けを黙々と続けた。

そして4年後、27歳の時にキャンプ場が完成する。山田の読み通り、夏場は観光客が来てくれた。

だが、普段はクルマがほとんど通らない辺境で、夏以外は誰も来ない。キャンプ場の収益だけでは生活ができず、30歳まで国有林の植林作業員として糊口(ここう)をしのいだ。

苦労したのは日々の生活だけではない。本来の目的であるシャクナゲの栽培も失敗の連続だった。

上分を含め剣山の麓の集落では、畑にシャクナゲの苗を植える家が少なくない。シャクナゲの栽培に着手した山田は集落の家々を訪ね、シャクナゲの苗を買い集めた。

山田は植物栽培の素人で、シャクナゲの生態や定植の知識があるわけではない。それゆえに、様々な困難に直面した。

例えば、シャクナゲは空中湿度を好むため、栽培では北向きの土地が理想だ。岳人の森のある場所は東向きで日あたりが良く、シャクナゲにとっては乾燥しすぎている。最初に植えたシャクナゲも、ほとんどが枯れた。樹木の陰に植えて空中湿度を保つということが分かるまで、植えては枯らすという失敗を繰り返した。

カミキリムシの食害にも悩まされた。シャクナゲを植え始めた当初、シャクナゲの葉が黄色くなり、茎がぽっきりと折れる被害が相次いだ。理由が分からず調べていくと、カミキリムシの幼虫による食害だと分かった。苗を植えた後、根元にカミキリムシが卵を産み込み、孵化(ふか)した幼虫が茎の中を食べてしまうのだ。放っておくと、竹の筒のように空っぽになってしまう。

そこで、カミキリムシが卵を産めないように、山田は根元に刷毛(はけ)で薬剤を塗ることにした。

「地面に這(は)いつくばって、すべての根元に薬を塗った。もう執念だね」

その後、カミキリムシが食入した穴に注射器で薬剤を注射するという対応が分かるまで、ひたすらすべての株元に刷毛で薬剤を塗った。

絶滅危惧種の楽園

その努力を神様も見ていたのだろうか。ある時からカミキリムシの食害がぱたっと止まり、シャクナゲが安定的に成長し始めた。

そして、株が1500ほどに増えたところで、もう一つの夢だった「シャクナゲ祭り」の開催を決める。岳人の森をつくり始めた時、40歳までにシャクナゲ関連のイベントを開くと決めていたが、既に37歳になっていた。

開催日は5月4日から1週間。ポスターを1000枚つくり、神山町や近隣の町村に貼って回る一方、集落の住民や郵便局に声を掛け、たこ焼き店や花店などの出店を募った。その間、徳島市内にある徳島新聞を訪問し、シャクナゲ祭りの概要を説明している。

すると、初日に1000人超が訪れるなど大盛況。20キロ近く下った神山町の街中まで続く大渋滞に、役場の人間も言葉を失った。

今でこそ、サテライトオフィスなどの活動で名高い神山町には全国から移住者や視察団が訪れるが、山田がシャクナゲ祭りを開催した1980年代半ばに町外の観光客を集めるようなイベントはなかった。

シャクナゲの栽培が安定軌道に乗ると、山田はシャクナゲ以外の花を増やしていく。

最初に取り組んだのはヒメシャガだ。山地の森林などに見られる多年草で、岳人の森では5月半ばに薄い青紫の愛らしい花を咲かせる。ヒメシャガが群生するさまはまるで花の絨毯（じゅうたん）のようだ。

もっとも、株を増やすのには苦労した。山野草愛好会の仲間に株を分けてもらって育て始めたが、何年経っても株が増えない。最後はダメ元で別の場所に移植すると、嘘のように株が増え始めた。日あたりの問題ということが分かってからは、数年ごとに周辺の木の枝を切るなどして光量を調整している。

シャンデリアのような白い花を咲かせる自慢のレンゲショウマも、時間をかけて育てた山野草の一つだ。

レンゲショウマは東北地方から奈良県あたりまでが分布範囲だが、かつては剣山にも7株〜8株が自生していた。ただ、盗掘にあったり、スーパー林道ができたりして、絶滅した。それを残念に思っていた山田は、愛好家に譲ってもらった種子を30年かけて群生と言えるレベルまで増やした。

これ以外にも、絶滅危惧種に指定されているベニバナヤマシャクヤクやシコクカッコソウ、クマガイソウなど、山で種子を採ったり、園芸店で買い求めたり、愛好家に分けてもらったり、希少な山野草を買い求めては株を増やした。

「珍しいものに興味があるんですよ。珍しい花を見つけては種子を採ったり、分けてもらったり。ベニバナヤマシャクヤクは京都に保護区があるんです。そこの人が来た時に、『こんなところでベニバナヤマシャクヤクが見られるとは思わなかった』と驚いてましたね」

珍しい山野草が集まる植物園がある——。

岳人の森の存在は口コミで、愛好家の間で徐々に広まり始めた。

息子の帰還

1980年代になり、シャクナゲ以外の草花に目を向けることができたのは、キャンプ場以外の収益源を確保できるようになったことが大きい。

ある日、岳人の森に不思議な来客があった。

岳人の森に自生している木を売ってくれと言う。言われた通りに木を売ると、しばらくしてまた買いに来た。そんなことを繰り返しているうちに、来客の正体が何となく分かった。庭木に向いた樹木を探し、個人宅や道路緑化用に販売していたのだ。

そんなビジネスもあるのかと感心した山田は、すぐに自分も始めることにした。

山に分け入り、庭木に良さそうな樹木を見つけると、種子を秋に取りに来られるよう目印をつけ、その種子を栽培して販売したのだ。

「よく個人宅の庭や高速道路に植わっているエゴノキは大ヒットしたね。山できれいな花を咲かせているのを見つけて庭木にいいだろうと多くの人が求めるようになったんです。その後、他の人も売り始めたので市場の値は下がりましたが、初めのうちはめちゃめちゃ売れました。他にもそんなのがありました。岳人の森には億を超える投資をしているから、植木がなければやれておらんね」

シャクナゲを残すという若き日の想いを胸に、一歩ずつ、着実に岳人の森をつくり上げる山田。そんな彼の後ろ姿を見ていた人間がいた。次男の充である。

岳人の森で生まれ育った充にとって、子どもの頃の記憶といえば山の記憶である。

物心がついてからは、父親の後について山の中を歩き回った。街の子どもが遊ぶようなテレビゲームとも無縁だった。

その中で、たき火の仕方や薪のくべ方、食べられる木の実や、飲んでも大丈夫な水場など、山で暮らすために必要な知識やスキルが自然と身についた。

「子どもの時は電気が通っていなかったので自家発電やったんですよ。昼は電気を切っていたのでテレビも見られない。でも、なぜか父親が高校野球を見る時だけはつくんですよ（笑）。『山の生活は不便だったでしょう？』とよく聞かれますが、それが当たり前だったので、何が不自由やったかはよく分かりません」

神山町の中学を卒業した充は、他の子どもたちと同じように高校に通うため徳島市内で寮生活を始めた。そして、高校を卒業すると大阪の料理専門学校に進む。いずれ山に戻り、岳人の森を手伝うためには何らかの技術が必要と考えたからだ。それが料理だった。

専門学校を出た後は京都の老舗「下鴨茶寮」と飛騨高山の「みつ岩」で修業した。

岳人の森に戻れば、食材が川魚や山菜など地のものに限られる。そのために、地元の素材を生かした料理で知られる店を修業先に選んだのだ。

「料理人になったのは、戻るのが前提やったからです。下鴨茶寮では京料理の基本を、みつ岩ではキノコや山菜、川魚に加えて、飛騨牛や富山湾の魚介類など山と海の両方の食材を学ぶことができました。ほんまに今に生きています」

修業を終えた充は２００９年に31歳で山に戻った。現在、充は「観月茶屋」という小料理屋を開き、季節の創作和食を出している。山の滋味と季節の風味。とても山奥の店とは思えないクオリティである。

充が戻るまで、岳人の森に併設された食堂は山田夫妻が切り盛りしていた。観光客の多い時期はランチやお茶で忙しく、園内整備どころではなかった。

充が料理人として戻ったことで、再び植物の栽培や散策道の整備に力を入れることができるようになった。この10年、観光客数と収益がともに伸びているのは、充の帰還が大きい。

「せっかく50年近く父親がここまでやってきたので、希望を言えば100年後まで続けたい。子どもらの選択ですが、やはり期待してしまいますね」

山田が岳人の森をつくり始めてから、もうじき50年になる。

初めは岩ばかりの雑木林だったが、簡素なキャンプ場をつくり、シャクナゲの群生地を復活させ、希少な山野草を集め、都会でも通用するような小料理屋まで開いた。

「こんな山奥に人なんて来るわけがない」

多くの人間がそう言った。だが、今ではマイクロバスに乗って大勢の観光客が訪れる。

人生を懸けて、ゲームでやるようなまちづくりに挑み、大事(だいじ)を成し遂げたのだ。

訪れた人はみな、草花の美しさに息を呑み、この場所をつくり上げた山田の物語に耳を傾ける。

その風景の源流には種子をまき、育てる人が存在する。刈り取るばかりの今の時代、山田のような人間は希少である。

先人の挑戦を未来につなぐ
スダチ日本一を支える移住者

永野裕介（ながの・ゆうすけ）
NPO法人里山みらい理事長

スダチの出荷量で9割を占める徳島県。その徳島県の中でも最大の生産量を誇るのが神山町だ。

毎年8月後半になると、神山のあちこちでスダチの収穫が始まる。もっとも神山ではスダチ農家の高齢化が進んでおり、後継者のいない生産者も増えている。今でこそ日本一の産地だが、耕作放棄地も増えつつあり、放っておけば、スダチ栽培が減少していくのは間違いない。

そんな未来を変えるために奮闘しているのが、永野裕介が率いるNPO法人里山みらいである。

ユズやカボスと比べて知名度が低いスダチの活用を進めるため、「すだちビール」や「すだちサワー」などの新商品を開発、キリンビールとともに販路を開拓した。少し傷のあるB級品をシェフに使ってもらい、新しいメニューを開発する「東京すだち遍路」などのイベントも企画した。

人材育成の面でも、耕作できなくなった地域のスダチ畑を借り受け、各地から集まった農業研修生にスダチ栽培を教えている。

日本の里山は、そこで生きる人々の自給自足的な暮らしの中で形づくられてきた。その里山が、高齢化や人口減少によって消滅しつつある。スダチのある光景もこのままでは失われていく。その中で移住者は何ができるのか。

神山に来たきっかけは、妻の出産でした。妻は、自宅出産を希望していましたが、当時住んでいた千葉では難しく、「地方に移住しよう」という話になったんです。

それで参加した田舎暮らしフェアで神山の存在を知り、「ここ、いいね」と。家も紹介いただけたので、神山への移住を決めました。2013年3月のことです。結局、3人の子どもは全員、自宅出産をしました。1人目と2人目は僕が取り上げました。

仕事は、神山町役場がちょうど地域おこし協力隊を募集していたので、それに応募しました。地域おこし協力隊で担当したのは、神山の特産であるスダチやウメの特産品開発です。

その1年半後の2014年9月に（神山町役場）総務課の杼谷さんや商工会の人たちと、「里山みらい創造会議」を立ち上げました。

ここで議論した結果、里山と都会のつながりや里山の新しい価値を創造する組織が必要だという結論になり、NPO法人「里山みらい」を設立することになりました。実際に活動を始めたのは2015年4月です。NPOを立ち上げた後は、主にスダチの販路拡大を進めました。例えば、東京の飲食店ですね。

東京の飲食店に飛び込みで行き、スダチを使った創作料理の開発を相談したり、阿波踊りのイベントの際に、近隣の飲食店にスダチを使ったサワーを提案したり。東京・高円寺で毎年開催される阿波おどりでキリンビールの担当者と知り合うことができて、そこからスダチの販路拡大につながりました。今では、ルート営業の際に、スダチやサワー用果汁のPRをしていただいています。

東京から広げようと思ったのは、スダチは東京での知名度が低かったからです。「A玉」と呼ばれる高級スダチは料亭などに入っていましたが、地元で当たり前のように使われる少し傷のある「B玉」は、あまり取引されていませんでした。これをサワー用の果汁と一緒に居酒屋さんに提案すればいけるんじゃないか、と考えたんです。

神山全体のスダチの出荷量は約1300トン。そのうち「B玉」の販売は約120トンに広がっています。

今では里山みらいの理事長として、スダチの需要拡大や生産者の育成、里山の維持に人生を投じている永野だが、もとは地方とも農業とも縁がなかった。地方移住に不安は感じなかったのか。

田舎暮らしに対する不安はなかったですね。どうやってお金を稼ごうかなとは思いましたが、「何とかなるだろう」と思っていました。

東京にいた時は、オーガニック化粧品の営業や販売、PRをしていました。日本に進出したばかりの化粧品会社で、一から顧客を開拓する仕事です。飛び込みでセレクトショップに行ったり、百貨店に営業に行ったりしていました。

この時は、美容室にフォーカスしてうまくいきました。若い頃に1年間、美容師をしていたので、サロンでシャンプーなどが手に合わず、手が荒れる人が多いということを知っていたんです。

そんな経験もあって顧客開拓には慣れていたので、スダチの販促も戸惑いはありませんでした。

僕は、20代前半はバックパッカーで世界を回っていたんです。バックパッカーは、あらゆることを自分で組み立て、実行します。そういうことに慣れていたんですね。

今の仕事にはとてもやりがいを感じています。

神山のスダチは今でこそ日本一ですが、戦後、神山の鬼籠野(おろの)に住む一部の生産者がリスクを取って始めたものです。

戦前まで、鬼籠野は養蚕が盛んで、地域の人々は米づくりと同時に、農地で桑を栽培していました。その後、化学繊維が登場してくる中で、今のまま養蚕を続けるか、別の作物を育てるかという選択を迫られた。その時に一部の生産者が、庭に植えられていたスダチを栽培し始めたんです。

鬼籠野には樹齢200年を超えるスダチの古木があります。もともとこの地域では、自家用にスダチを植え、それを食用に利用してきた歴史がある。そのスダチに生活を懸けたんです。

その時、スダチを植えた第一世代の方々に話を聞くと、桑の木を抜き、スダチを植えた時は周りに笑われたそうです。当時、スダチは全国的な知名度が全くありませんでしたから。一方の養蚕はまだ稼げていたので、そういう反応だったんだと思います。

今のスダチのある光景は、第一世代の方々が苦労してつくってきたものです。

僕は、こういう光景を残したい。そのために里山みらいを通して、スダチの市場拡大や担い手育成を続けていきます。

おいしい、楽しいが大好き 唯一無二のカレー体験

北山歩美（きたやま・あゆみ）
moja house女将

神山町には、少し変わった宿泊施設がある。その名も「moja house」。築150年の古民家をリノベーションした農林漁家民宿で、「もじゃ」こと北山歩美が2019年4月に立ち上げた。

立地は神山らしく、国道から車一台がやっとの脇道を上り切った先。眺望は抜群で、早朝には朝靄に覆われた山々を望むこともできる。

moja house に泊まる醍醐味は、宿泊客がもじゃとつくるカレー体験にある。それも、バングラデシュ仕込みの本格カレーだ。私も moja house でもじゃ夫婦とカレーをつくったことがあるが、初対面の客とホストが黙々とカレーをつくる光景はなかなかシュールだ。

なぜカレー体験なのか。そもそも、もじゃはなぜ神山に来たのか。

宿泊客とカレーをつくるようにしたのは、一緒にごはんをつくるところから始めた方が打ち解けられていいかなと思ったからです。

旅館のように宿が料理を用意する形態も考えましたが、そのために必要なキッチンの改修費用がなくて……。それで、お客様と料理する今のスタイルにしました。

なぜカレーかというと、私が青年海外協力隊でバングラデシュに行っていた時に教わった現地のカレーを、宿泊客にも食べてほしいと思ったからです。バングラ

デシュのカレー、本当においしいんですよ。

バングラデシュでは一人暮らしだったので、「おうちに食べにおいで」といろいろな人に誘ってもらいました。みんなの誘いを断らずに参加していたら、7キロも太りました。食べると喜んでくれるので、つい食べちゃうんですよね。

moja house の「moja」は、ベンガル語で「おいしい、楽しい」という意味です。私自身、おいしいものも楽しいことも大好きですし、髪が天然パーマでもじゃもじゃヘアだったので、「もじゃやん」と友達が名づけたところから始まりました。赴任前にベンガル語を勉強していた時の話ですね。

バングラデシュには2013年9月から2015年10月まで、2年ほど行っていました。滞在していたのはディナジプールという町で、首都ダッカからインド国境に向かってバスで8時間ほど走った先。ここで、地元のNGOと一緒にコミュニティ開発に携わっていました。

具体的なミッションは、現地の方々の生活の向上。例えば、住民を20人ずつのグループに分け、そのグループごとに「自分の暮らしをもっと良くするにはどうすればいいか」ということを話し合ってもらったり、住民一人ひとりからお金を少し出してもらって、そのお金で牛を買って、育てて売って、お金を増やしたりしていました。

勤めていた会社を辞めて青年海外協力隊に行こうと思ったのは、東日本大震災が一つのきっかけでした。コンビニから商品がなくなるのを見て、「意外に東京の暮らしも脆いな」と思ったんです。次に自分が暮らしている場所で、同じような地震が起きれば死ぬかもしれない。どうせ死ぬなら好きなことをしよう。そう考えました。

当時は社会人1年目で、国際物流の会社で働いていました。海外に赴任したくて入った会社でしたが、実際に入社してみると、若いうちに海外に行くのは無理な雰囲気があって、結局3年くらい勤めましたが、青年海外協力隊のポスターを見て、「行くなら今だな」と決断しました。親は大反対でしたね。

バングラデシュの仕事は充実していたが、現実問題として、2年の任期でできることには限界がある。不完全燃焼な想いを胸に帰国の途についたもじゃは、日本でもコミュニティ開発に関わる仕事をしようと心に誓った。

その時、同じ隊員仲間から徳島県神山町という地域おこしで有名な町があるという話を聞く。神山町役場のホームページを見てみると、ちょうど地域おこし協力隊の募集があった。仕事の内容は農業と食をつなげること。

「これだ！」と思ったもじゃは、2016年4月、地域おこし協力隊として神山に赴任した。

神山では、神山特産のスダチやウメの販路拡大に取り組む「里山みらい」というNPO法人に配属されました。「東京すだち遍路」というイベントを手伝ったり、神山町の全戸に配布する里山みらい新聞の記事を書いたり、各地区のお祭りを手伝ったりと、いろいろなことをしました。

お祭りというのは、例えば、小野さくら野舞台春の定期公演です。神山は人形浄瑠璃が盛んな土地で、今も各地区にその伝統が残っています。

浄瑠璃の上演の際に使われる襖（ふすま）からくりも知られており、moja house のある小野地区では、小野さくら野舞台保存会の方々が、襖からくりを大切に守っています。

襖からくりとは、浄瑠璃を上演する際の背景の襖絵。襖絵を開いたり上げたりすることで、背景の襖絵を変えていくという浄瑠璃の演出です。この春の定期公演の運営をお手伝いしていました。

こういった仕事をしつつ、3年目は独立後の起業に向けた準備を始めました。

協力隊の任期は3年。その期間中に自分が赴任地に残った場合、どうやって生活していくのかを考えるんです。

最初は、何かのお店をしようとぼんやりと考えていました。ただ、カフェは神山には他にもあるし、私じゃないよなという気もしました。その時、旅行ではよくゲストハウスに泊まっていたな、ということをふと思い出したんです。

ゲストハウスは基本的に相部屋だから、ゲスト同士が話しますよね。ああいう感覚が好きで、同じようなゲストハウスを神山につくったらおもしろいと思ったんです。神山にも宿泊施設はありますが、交流をメインに置いた宿はないので、ちょうどいい。

神山に残ろうと思った背景には、一つはバングラデシュでの経験がありました。

バングラデシュでは2年間、地域づくりに関わりました。でも正直、地域の生活の向上に貢献できたかと言えば、あまりできていなかったと思います。不完全燃焼の気持ちを抱いていたので、次に関わる場所にはずっと居続けようと決めていました。

もう一つは、神山が私に合っていたからです。神山が特別なのかどうかは分かりませんが、みなさん、いい感じで放っておいてくれるんですよね。もちろん見られている感覚はあるし、しがらみのようなものもある。でも、それがほどよい距離感で、私にはちょうどいい。地域の人が助け合って生活しているところもバングラデシュに似ていて、いいなと感じていました。

神山のみなさんが、よそから来た人に慣れているというのも大きいですね。みなさん、バングラデシュの話をしても驚きませんから。

そこで、神山でゲストハウスを開こうと考えていたら、この物件が出てきたんです。グリーンバレーで働いている友人と飲んでいた時に、「日あたりが良くて、景色が良くて、公共交通機関が近くを通っている空き家はないかな」と聞いたら、2～3日後に「あるよー」って、ここを紹介してくれました。

もともと別の人が借りることになっていたようです

が、仕事を辞められず、移住が白紙に戻ったところに、私が来たそうです。本当にタイミングが良かったです。

最近の神山には、気合いを入れて直さないと住めない家も多いんですが、この家は水回りも整っていて、すごくいい状態でした。壁や床には腐っているところもあったので、全国床張り協会にお願いして、直していただきました。

材料などはこちらで揃えますが、全国床張り協会にお願いすると、床張りをしたい人たちが全国から集まってワークショップ形式で床を張ってくれるんです。moja house の床を張るためだけに、遠路はるばる10人が来てくれました。本当にありがたかったです。

２０１９年4月にmoja house をオープンして、ようやく口コミで広がってきたかなというタイミングでコロナ禍になりました。

家の周囲は高齢者も多く、不安にさせるのもよくないと思ったので、２０２０年4月から3カ月間は宿を閉めました。その間は、ニンジン農家のお手伝いをしたり、Sansan 神山ラボの掃除の仕事をいただいたり、空き家の片付けをしたり、ベンガル語の通訳をしたり……。いろいろな仕事でしのいでいました。みなさんが心配してくれるので、仕事には困りませんでした。

移住者の中でも、地域の活動に積極的に関わっているもじゃ。神山で唯一の阿波踊り連である「桜花連」を筆頭に、ＪＡ女性部や女性消防隊、神山薬草協会などにも参加している。なぜ地域活動に積極的に関わるのだろうか。

「桜花連」には協力隊として神山に来てすぐに入りました。もともと阿波踊りに興味があったので、先に入っていた協力隊の先輩（小田奈生子）につないでもらったんです。桜花連に入ったのは大きかったですね。それだけで町の人の警戒心が解けましたから。

女性消防隊は、消防団のように火事の時に出勤するのではなく、啓発活動が中心です。「空気が乾燥しているので火災に注意しましょう」という放送を流しながら町内を巡回する。

ＪＡの女性部では、味噌や焼き肉のタレをつくっています。みなさん大先輩ばかりで、ほとんど60代～70代です。

地域活動に関わるのは、私自身が楽しいからというのが一番かな。地域活動は楽しんでできる範囲でやっています。

主人とは桜花連で知り合いました。神山町役場で働いています。よく知りませんが、神山出身者と移住者が結婚するのは稀なケースのようですね。夫は神山から出て他の場所に行くつもりは全くないようですし、私も神山を気に入っているので、ずっとここで暮らしていくと思います。

高校生活で手に入れた故郷
県外生が感じた神山の本質

砂川康介（すながわ・こうすけ）
島根県立大学地域政策学部1年

神山にありながら、地元との関係が希薄だった城西高校神山校。だが、神山つなぐ公社と教職員の奮闘、そして神山創造学の設置と学科再編を通して、地域に愛される高校に生まれ変わった。今では県外からも生徒が集まる。神山まるごと高専が注目を集めるが、神山校の変革も神山における奇跡である。

神山に来た若者は神山に何を求めて、何を得たのだろうか。

僕は大阪から城西高校神山校に越境入学して、学生寮の「あゆハウス」で3年間、暮らしていました。

僕が高校3年生の時、あゆハウスには1年生から3年生まで、16人の寮生がいました。ハウスマスターの大人はいますが、朝食と夕食は持ち回りの当番制。献立も当番の学生が考えます。

例えば、夕食にハンバーグをつくるとして、全部肉だと予算をオーバーするので豆腐を混ぜるとか、そういうことも考えます。今年の朝食はレパートリーが少なくて、ハムチーズトーストばかりでした（笑）。

寮生活では、学生たちが話し合ってルールを決めています。みんなでごはんを食べるために19時には食堂に集まろうとか、掃除や後片づけはしっかりやろうとか。「あゆハウスはどうあるべきか」という基準も、自分たちで決めました。

あゆハウスを卒寮するのは寂しいですが、やり残したことはありません。次の場所（島根県立大学）が楽しみです。

城西高校神山校に進学しようと思ったのは、他の人と違うことがしたいと考えたからです。小学生の頃はいわゆる「山村留学」で、毎日1時間ほどバスに乗って、山の中の小学校に通っていました。公立小学校でしたが、地域を素材にした体験学習に力を入れていて、田植えや稲刈り、しめ縄づくりなど、いろいろな体験ができました。

小学校生活はとても楽しかったのですが、家の近くの友達もほしいと思って、中学は地元・高槻市の学校に通いました。ただ、同級生は幼稚園、小学校、中学校と一緒に上がってきた人ばかり。部活の仲間とは仲良くしていましたが、それ以外ではどこかみんなと合いませんでした。

小学校時代には、地域の大人や友達のお父さんと一緒にいろんなことをしていたのに、中学では「職員室にも入るな」と言われるし、何かやりたいと思っても人には言えない雰囲気で……。

そういうこともあって、「人と違うことをしたい」と思うようになったんです。

中3になって進路を決める時に、親にその想いを伝えたところ、僕に合う高校を一緒に探してくれて。その中で、「県外の公立高校に行きたい」と思うようになり、県外生を募集している高校を探しました。

神山校のことは「地域みらい留学」のイベントで知りました。県外生を募集している高校が集まったイベントで、ちょうど大阪で開かれたので参加しました。コロナ禍前の2019年6月でしたね。

当初は島根県の高校に行こうと思っていたんです。ただ、神山校の留学体験に参加した時に見た、神山にいる大人が印象的で。中学時代に会った大人たちには楽しそうなイメージはなかったんだけど、神山の大人は目がキラキラしていたんです。

学校や寮に人が少ないのも惹かれたところです。僕が通っていた中学は規模が大きくてなじめなかったので、なるべく小規模なところがいいな、と。神山校は全校生徒合わせて100人もいませんし、学生寮のあゆハウスもできたばかりで、自分たちでつくっていくことができた。アットホームなところがいいなと思って神山校を選びました。

神山校に入学した砂川だが、彼が入学した2020年4月は、新型コロナウイルスが猛威を振るった時期でもある。神山校は休校になり、入学式はオンラインでの参加になった。その後、学校は大型連休後に開校したが、県外生の砂川はあゆハウスで2週間、待機することになった。

僕が入学した時は、ちょうど新型コロナウイルスが日本でも感染拡大し始めたタイミングで。あゆハウスに入る1日前に「まだ来ないで」という連絡がありました。

入学式も、県外生はLINEと電話で済ませました。その後、大型連休にあゆハウスに入っても、2週間は待機のままで学校に通えませんでした。ただ、その期間に先輩と話すことができたので、僕にとっては良かったです。

神山校では、2年生から環境デザインコースに進みました。農業実習には興味が湧かなかったけれど、造園や庭造りには昔から興味があったんです。「まめのくぼ」の棚田再生や「孫の手プロジェクト」にも参加しました。

神山校での思い出はいろいろありますが、一番印象に残っているのは卒寮式。あゆハウスを卒寮する僕と中野（千代実）のために、あゆハウスで生活している1〜2年生や、ハウスマスターの兼村（雅彦）さんがイベントを開いてくれたんです。

1〜2年生が「卒寮証書」をつくってくれたり、神山でお世話になった方々のメッセージや3年間の思い出を動画にしてくれたり、ハウスマスターの雅さんがメッセージを寄せてくれたり。本当にうれしかったですね。

しかも、卒寮式は平日の午後2時からだったのに、町の人が仕事を休んで来てくれたんです。これもめっちゃ嬉しかった。オンラインを含めると、卒寮式には60人以上が参加してくれたと思います。

町の人には、本当に良くしてもらいました。卒寮式の1カ月前にも、「山びこ」の谷（真宏）さんや阿部（晃幸）さんが「Graduation Live」を企画してくれて。あゆハウスのメンバーでバンドを組んで、他の大人のバンドと一緒に対バンしたんです。僕はドラムで参加しました。曲は、フジファブリックの「若者のすべて」。

あゆハウスのメンバーは、バンドを組んで文化祭で演奏していました。僕は、それには参加していなかったけれど、「最後だから」とみんなが誘ってくれて。ドラムを触ったことはなかったので、ライブの参加が決まった後に練習しました。

谷さんたちがつくったポスターやチケットを配りにいくのも、ライブっぽくてとても楽しかった。いろいろと気にかけてくれるのがうれしいですよね。

神山での3年間は、毎日がとても楽しかった。でも、大学卒業後に神山に戻ることはないと思います。僕の地元は大阪の高槻ですが、高槻に愛着はなく、故郷と言えば神山です。

神山で過ごした3年間で、僕には素晴らしい故郷ができた。今は同じように他の誰かの故郷をつくりたい。そのために、神山を離れて、別のところでまちづくりに関わっていきたいと思っています。

「仕事一筋」が農家に転身
移住で気づいた真の豊かさ

松本直也（まつもと・なおや）
松本絵美（まつもと・えみ）
Oronono・生産者

神山の農業を次世代に継承するために〝地産地食〟を進めるフードハブ・プロジェクト。耕作放棄地が増える中、神山における農業の担い手を育成すべく、農業研修生を募集している。そんな研修生として神山に入り、農家として独立した夫婦がいる。松本直也・絵美の二人である。

大阪で暮らしていた頃は土を触ったこともない生活だったが、現在は1・8ヘクタールほどの畑で冬収穫のニンジンをメインに、ジャガイモ、ピーマンやナスなどの果菜類を育てている。

直也　神山に来る前は、大阪で会社員をしていました。コンパクトやブラシのような化粧グッズを開発する会社の開発担当でした。年間に20アイテムも新商品を開発していましたが、ものづくりや手を動かすことが大好きだったので、仕事に没頭していました。

やりがいもあって楽しかったのですが、商品を開発した後、実際に商品として世に出るまでに1年〜2年くらいかかるんです。その時はもう別の商品を開発しているので、前の商品のことは忘れている。せっかく自分の手掛けた商品が販売されたのに、うれしさ半減というか、よく分からなくなっていました。

また年齢を重ねると現場から遠くなるんです。マネジャーの仕事もおもしろかったんだけれど、やっぱり僕は手を動かして何かをつくっている方が向いていた。

そんな時に、「農業っていいかも」と思ったんです。

種子をまき、一からモノを生み出すというのはおもしろそうだな、と。

絵美　当時、私たちはマンション暮らしで、夫は土を触ったこともなかったんです。それなのに農業と言い始めて、「この人、大丈夫かな。どないすんのかな」と思っていました。

直也　妻と有機農業について調べたら、たまたまフードハブ・プロジェクトが農業研修生を募集しているのを知って。それまで神山のことも、フードハブのことも知りませんでしたが、食を通して耕作放棄地の増加や新規就農者の問題を解決しようとしているところはいいなと思いました。

就農後は、販路と農地の確保が課題になると思っていたので、フードハブが一緒に農作物の販路を開拓してくれる点や独立時に農地を借り受けられる点も魅力でした。それで、農業研修生に応募したんです。

絵美　今から振り返ると、田舎暮らしが分からなすぎたからこそ飛び込めた気がします。後からそれぞれの地域ならではの難しさがあることも知りましたが、その時は「おもしろそうだな」というワクワク感だけで踏み出しました。

地方に暮らすと、子どもの進学の選択肢は限られるのかもしれません。でも、うちの子どもたちはまだ小学生ですし、過疎化が進んでいると言っても神山の小学校には一学年10人以上います。

もともと利便性がいいので大阪で暮らしていましたが、当時は週末になるとキャンプなど、自然の豊かな場所に遊びに行っていたんです。そういう意味では、田舎での暮らしを求めていたのかもしれません。

直也　上の子は今、小学4年生ですが、クラスの半分以上が移住者です。どちらかの親が海外にルーツを持つ子どもも二人います。

絵美　小学校は全校生徒で100人くらい。みんな、親同士の顔が分かる関係です。

直也　フードハブでは2年間、研修しました。師匠はフードハブの白桃薫さんや彼のお父さんの茂さん、奈良県宇陀市で有機農業を20年以上実践しているラウアイの柏木（英俊）さんです。基本的に中量中品目でジャガイモやニンジンを生産したり、ハウスで葉物野菜を栽培したり。生産した野菜はかま屋が中心ですが、大阪の八百屋さん、百貨店にも卸していました。

フードハブは農林水産省の認定（農業次世代人材投資資金準備型の研修法人の認定）を受けているので、就農準備資金として国から最大150万円のお金が出ます。研修中は完全に赤字でしたが、独立後に困るのは自分なので、バイトはせず、技術を磨くためにつなぐ農園に専念していました。

本当は2020年4月に独立する予定でしたが、正社員として2年間フードハブに残って一緒に仕組みをつくってほしいという話をいただいたので、もう2年間つなぐ農園で働きました。そして、2022年4月に独立しました。

絵美　夫が農業をしている間、私は営業の勉強をしていました。最初の2年はかま屋で接客や加工品づくり、残りの2年はフードハブのつなぐ農園で栽培した農作物の営業と新規の販路開拓をしていました。独立したら加工品製造と販売をやろうと思っていたので。会社員時代、夫は海外出張が多かったですが、今は私の方が外に出てますね（笑）。

直也　会社員時代は出張ばかりで家を離れている時間も多かったんです。子どもの成長を見ることができなくて、妻にもずっと言われていたんです。「子どもが小さいのは一生に1回しかないからもったいないよ」って。それでも仕事が楽しくて働いていましたが、ふと振り返ると、家族が遠くにいるように感じて。週末もたまにしか家にいなかったので、家に帰っても「この人、誰？」という状況になっていました。

仕事は楽しいしやりがいはあったのですが、家族との溝を感じたのも、農業への転職を考えた一つの理由です。農業だと、家族との時間を持ちながら仕事ができますから。

絵美　もとは私の方が食に関心があったんです。農業をするなら、有機農業をやってほしいと思っていました。そういう意味では、夫がこちら側に寄ってきてくれたのはうれしいですね。

今は神山の鬼籠野地区で農業を営む松本夫妻。地元の人から貸してもらえる農地も増えており、地域にうまく溶け込んでいるように見える。

直也　今は鬼籠野に家を借りています。神山でスダチ生産を始めた第一世代の橋本純一さんの隣の家です。8年間空き家でしたが、もともと農業をされていた人の家なので大きな納屋があったり、蔵があったり、離れがあったりと、これから農業を始める家としては最適でした。

地域の方々には本当に良くしていただいています。両隣の家が農業をしているので、朝早くからガチャガチャやっていても許してくれるし、「頑張っているね」と声もかけていただいて。理解のある人が周りにいるのは本当にありがたいです。

絵美　大阪にいた時は子どもに、「人に迷惑をかけちゃダメ」「大声で騒いではダメ」と言ってきました。でも神山ではみなさん「なんぼ騒いでもいい」と言っていただいて。子どもの存在がこんなに喜ばれるのかと驚いています。

直也　地域のみなさんに受け入れられなければ農業はできませんので、地域の活動は最優先でやっています。「在所」という自治会活動もそうですし、地域の神社に毎朝、ごはんと線香を上げるのもそう。消防団にも参加していますし、地域でクリスマスと正月に行われるイルミネーションイベント「鬼籠野灯りのオブジェ」も手伝っています。

おかげさまで「農業ができなくなったら、その後はやってくれな」という声もいただけるようになりました。その時までに、農家としてしっかりと力をつけたいと思います。

「農のある暮らし」を継承
神山の風景を守る神山塾OB

兼村雅彦（かねむら・まさひこ）
植田彰弘（うえた・あきひろ）
「エタノホ」メンバー
祁答院弘智（けどういん・ひろとも）
リレイション代表・神山塾塾長

神山に江田と呼ばれる集落がある。鮎喰川を上流へのぼり、さらに山の奥に進んだところにある集落だ。美しい棚田と春に咲き誇る菜の花で知られている。

この江田集落で棚田の維持に奮闘する二人組がいる。神山塾OBの植田彰弘（3期生）と兼村雅彦（6期生）だ。二人は「エタノホ」という組織をつくって、江田集落の棚田で米づくりに励んでいる。

江田集落での米づくりは神山塾を立ち上げた祁答院弘智が始めた。2000年代後半、徳島市内にリレイションを創業し、まちづくり支援を始めた祁答院に対して、グリーンバレーの理事長だった大南が、江田での米づくりに誘ったのが始まりだ。

その後、神山塾を立ち上げた祁答院は、自分の体験を若者に伝えようと、神山塾のプログラムに江田集落での米づくりを加えた。そして、棚田での米づくりや中山間地で生きる知恵を先達に学ぶ中、集落で育まれてきた「農のある暮らし」を未来に継承したいと、神山に残った植田と兼村が立ち上げたのがエタノホである。

江田のような山あいの集落は、神山の平均を上回るペースで高齢化と人口減少が進み、地域の人々の日常や日々の営みに根ざした風景も消えつつある。棚田や石垣など、独特の景観が残る神山。

その環境に憧れて訪れる移住者は少なくないが、今後、景観は誰が維持するのだろうか。

植田　神山塾に参加したのは東日本大震災がきっかけでした。当時、僕は東京でカメラマンをしていましたが、被災地で津波をかぶった写真を修復するプロジェクトが始まったのを知り、毎週末、写真の修復のために福島県南相馬市に通っていました。真水で泥を落として、自作した乾燥機で写真を乾かし、持ち主にお返しするというボランティアです。

この時、被災者の思い出が詰まった写真に触れ、いろいろな人に出会う中で、企業の契約カメラマンとして写真を撮り続ける生き方はどうなのかと思うようになったんです。被災地で親しくなった人に神山塾のことを聞き、別の可能性を模索してみようと応募しました。2012年4月のことです。

祁答院　アッキーは確か締め切り直前に応募してきたんだよね。

植田　締め切り1日前に問い合わせしました。ギリギリで、急いでハローワークに行って書類を出してきました。

兼村　僕の場合はモラトリアム的な感じでした。高校卒業後、深く考えずに大学の経済学部に入り、何となく有名企業を受けたものの全部ダメ。ゼミの同期が就職しているのに自分だけ就職先が決まらず、何ができるのかも分からなくて……。

いずれにしても東京は違うなと思って、新卒での就職をあきらめて、前から暮らしてみたかった京都に行くことにしました。ただ、特段スキルがあるわけではないのでいい仕事はありません。どうしようか迷っていた時に神山塾の存在を知り、行ってみようと思ったんです。僕が神山に来たのは2014年2月ですね。

実は、上京してから故郷の沖縄のことをよく考えるようになって。京都に行った後、沖縄のまちづくりに関わっている若い人と知り合って、地域に関わる仕事もいいなと思ったことも、神山塾に行ってみようと思った理由です。

祁答院　マサ君もギリギリだったよね。

兼村　僕の場合は1日過ぎていたと思います。でも「行けます!」という話で(笑)。神山塾に来た当初は、神山に長くいるつもりはなかったんです。ただ神山塾の同期や先輩、地域のお父さん、お母さんと関わる中で、もう少しいたいなと思うようになりました。

　卒塾後はえんがわオフィスに雇ってもらいました。今は神山つなぐ公社で城西高校神山校の学生寮「あゆハウス」の運営を担当しています。

植田　江田集落で棚田の管理を始めたのは、神山塾の活動で来た時に、その風景に感動したから。「もっとこの場所を知りたい」と江田集落に通い、僕の師匠になる西森傳多・薫さんというご夫婦に出会いました。

　西森さんは米づくりだけでなく、大工、狩猟、釣りもできる人で、山あいの集落で生きる知恵や技術を惜しみなく教えてくれました。美しい風景が日常の営みから生まれるということも西森さんから教わりました。

　西森さんとのやり取りがこの上なく豊かに感じて、もっと江田集落に関わりたいとエタノホを立ち上げました。以前は江田集落に住み、農のある暮らしを実践していましたが、今は公民館の管理の仕事があるので、週末に集落に来て草刈りや米づくり、耕作放棄地となっている棚田の再生などに取り組んでいます。

兼村　僕の場合は神山塾の先輩が江田集落での活動に参加していたので、何となく活動に加わりました。仲間との関係が居心地良く、気づいたら続けていた。

祁答院　江田集落での棚田再生は、もとは僕が始めたんです。2008年2月にリレイションを創業した後、たまたま神山ワーク・イン・レジデンスの記事を見て、「神山の地域づくりに関わりたい」とグリーンバレーにメールしました。最初は神山の森づくりに参加していましたが、大南さんから「棚田の再生、やるか?」と言われて「はい、やります!」と。

　徳島市内の若い子を連れて毎日、江田集落に通いました。「都会の若者と地域をつなげる」というコンセプトで活動していたので、バンドマンとか若い子が周りにたくさんいたんです。初めは6枚の棚田から始めました。

毎日通ったのは草刈りのためです。無農薬の米づくりだったので、毎日が雑草との戦いでした。大南さんに「やる」と言った手前、途中で放り出すわけにもいかず、責任感で続けていました。

以前の僕の仕事は不動産コンサルで、パソコン画面をにらみながら不動産の価値を評価していました。そういったスキルはこの場所では何の役にも立たない。逆に、地域のお父さんの生きる力に驚かされました。

軽トラに積んだ１００本の竹をヒモ1本で縛ったり、お弁当の箸を忘れた時に、その辺の木を鉈でシャッシャッと切って削ったり。「おまえ、幼稚園児よりも何もできんな」と地域のお父さんによく言われましたが、それがおもしろかったんです。

そんな僕の体験を塾生にも伝えたくて、江田集落の棚田再生を神山塾のカリキュラムに加えました。それを、アッキーやマサ君が進化させてくれた。

植田　おかげで僕たちが管理している棚田は15枚まで増えました。それでも全体の1割ぐらいでしょうか。

米づくりをやめる人もいるので、江田集落の棚田は年々減っています。２０１２年は集落で74枚の棚田がありましたが、今、稼働しているのは26枚。集落の人口も減って、僕が来た頃は60世帯はいましたが、今はもう31世帯ほどになりました。その分、休耕田が増えている。

兼村　江田集落は棚田の石積みも美しい光景ですが、石を積める人がどんどん減っているんです。もう、ほとんどいないんじゃないかな。この景観を守るために活動しているということを考えると、僕らも修復できないとダメなので、他の地域の人に来てもらって、ワークショップを開いて勉強しています。

祁答院　農村の風景は、そこに住んでいる人の営みから生まれるわけです。棚田の光景も石積みも、そこで農的な暮らしをしている人がいるから維持されている。

移住者が来ても、農のある暮らしをしなければ、風景は消えていくということです。

アッキーは公民館の管理、マサ君も高校の学生寮のハウスマスターをしながらエタノホの活動をしてくれています。別のところで働きながら、このクオリティで風景を維持するのは並大抵のことではありません。水路の清掃や地域活動など、日常的な仕事がありますから。

神山にはいろいろな価値観を持った人が入ってきます。みんなそれぞれの仕事や役割があると思いますが、みんなが「いいな」と思う風景は、そこで暮らす人がいないと維持できないということは、分かってほしいと思います。

生涯起業家が気づいた移住者を惹きつける度量

隅田徹（すみた・てつ）
株式会社えんがわ代表

神山に視察に来る人が必ずと言っていいほど訪れる「えんがわオフィス」。全面ガラス張りで、幅の広い縁側がある古民家は映像的にも映えるため、神山を象徴する存在として取り上げられる。

えんがわオフィスを立ち上げたのは、プラットイーズの会長も務めた隅田徹。神山に縁もゆかりもなかったが、えんがわオフィスをつくる過程で神山に移住。今では神山に家族ができ、どっぷりと神山の生活になじんでいる。

神山に移住して10年。隅田は神山をどう見ているのだろうか。

もとは、自社のＢＣＰ（事業継続計画）の一環として、サテライトオフィスを探していたんです。

僕が経営に関わっていたプラットイーズは、大手放送局との取引があります。だから東京のオフィスに何かあっても業務を続けられるように、拠点を分散する必要があった。

候補地を探す中で、当時の会長がテレビで神山を見て、「徳島の山の中におもしろそうな町があるから行ってみてはどうか」と教えてくれたんです。

他の地域にも良さそうなところはあったので、最初から「神山一択」というわけではありませんでしたが、神山は地方なのに保守的な感じがあまりなく、自由な雰囲気やゆるい空気感がいいなと思いました。パートナーを選ぶのと同じで、最後は限りなく感覚的な決断でしたね。

実際に神山に来てみると、思っていた以上にゆるかったですね。神山独自の文化なのか、四国全体がそうなのかは分かりませんが……。

建物は築90年の古民家でした。しばらく空き家になっていましたが、その古民家をガラス張りにして縁側を付け、耐震補強してオフィスにしました。

縁側を付けたのは、境界線をぼかすため。仕事とそれ以外でぴしっと分けると、仕事以外の雑音が入ってこなくなってしまうでしょ。コミュニティも建物も、周辺部分をぼかした方が外の刺激が入ってくる。そういう発想で、縁側をつくりました。

地域の人々にも気軽に入ってきてほしいですし。お店と違って、オフィスは何となく入りにくいじゃないですか。でも、縁側のような空間があれば、地域の人々が用事もなく、ふらっと来られるようになる。

この間も、城西高校神山校の学生寮「あゆハウス」の寮生が、ここの庭で「秋祭り」を開いていました。神山校の3年生はコロナ禍と重なったため、3年間、イベントができなかったんです。それで秋祭りの話をもらったので「どうぞ、どうぞ」と。

本当は七夕にえんがわオフィスでお祭りを開く予定だったのですが、ちょうど徳島県で新型コロナウイルスが広がった時期で、できなかったんです。そこで改めて、11月に秋祭りという形で実施したんです。ああいう感じで使ってもらえればと思いますね。


「えんがわオフィス」が誕生して10年。えんがわオフィスは進化している。当初は4人だったスタッフは既に14人になった。建物も、母屋であるえんがわオフィスの他に、納屋を改造したサーバールーム、編集室を兼ねた蔵オフィスの古民家3棟に加えて、2015年1月には徳島に残された写真や映像をデジタルデータで保存するためのアーカイブ棟も完成した。

根っからの起業家で、事業の立ち上げが趣味のような隅田は、神山移住後、えんがわオフィスの他に、ビジネス客向けの宿泊施設「WEEK神山」を立ち上げるなど、活動の幅を広げている。プラットイーズの会長を退任した今も、神山を拠点にした新しいプロジェクトを考えている。

WEEK神山をつくろうと思ったのは、言ってしまえば、ノリですね。

近所の人たちと飲んでいて、神山には、お遍路さん向けの宿ばかりで、ビジネス客が泊まれるような宿がないよね、という話になったんです。「じゃあ、やる？」なんて言っているうちに、「オレも出す」「オレも出す」とお金が集まった。もちろん事業計画はつくりましたが、発端は飲みの話が盛り上がったからです。

実は今、新しい会社をつくろうと思っています。まだ考えが完全にはまとまっていませんが、都会の人が神山の良さや山の暮らしを享受できるような住宅サービスで、Airbnb（エアビーアンドビー）の発展系のようなものをイメージしています。これもノリといえばノリですが、素案はあります。

僕自身、天気のいい日に木を切ったり、薪を割ったりして、それがこの上なく落ち着くんです。以前は毎日酒を飲んでいる都会のオッサンでしたが、そんな人間でも神山に移住したことで、山の暮らしを自然に楽しんでいる。都会のオッサンが山を楽しめる入り口をつくりたい。

では具体的にどうするのかというと、楽しく暮らすには快適な家が必要です。古民家の改修でも新築でもどちらでもいいと思うけれど、都会の人が快適に暮らせる家を用意する。これが一つ。

次に、その住宅で80％程度のオフグリッドを実現する。今の時代、環境負荷の小さい暮らしを求める人は多いけれど、いきなり電気やガスのない薪生活ができるかというとハードルが高い。もちろん、100％オフグリッドを実践する人もいると思いますが、そこまでハードコアな生活はちょっと……という僕みたいな人もいる。
そういう人のために、薪ストーブに加えて、給湯部分を主にバイオマスボイラーにして、80%程度のオフグリッドを目指す。ゼロが80%になるだけでも、全然違いますから。

薪ストーブやバイオマスボイラーの熱源は神山で放置されているスギやヒノキを考えています。そのためにナショナルトラストのようなものをつくり、使われる見込みのない木や山林を管理し、そこでできた薪で、住宅に熱や温水を供給していくイメージです。

熱源だけでなく、コミュニティの入り口のお手伝いなど、住民が神山での暮らしになじみやすくするサポートもしたい。

神山には、アーティストやエンジニアなど、多様性のある移住者と、ユニークでスキルフルな地元の方々が入り交じった独特のコミュニティが形成されつつあります。この輪の中に違和感なく参加できるよう、何らかの手助けができればと思っています。

住む人は完全な移住者というよりは、多拠点生活者やワーケーションを考えています。神山で暮らしていない時は家を他の人に貸せるようにする。こういう住宅を一つのエリアにいくつも用意するイメージです。

住宅を提供するデベロッパーではあるけれど、地域の電力マネジメント会社であり、エリアマネジメント会社であり、エアビー的な民泊仲介の会社であり、神山の山を管理する会社でもある。そんな会社をつくろうと思っています。

いくつか事業を立ち上げてきましたが、振り返ると、自分一人で興したことはないんです。必ず気の合う仲間と一緒にやってきた。寂しがり屋なんですね。事業を興すのは全く嫌いじゃない。サラリーマン生活ができないので、こういう生き方しかできなかった。

若い時に戻れるのであれば、会社勤めなんてひと月もやらないよ。稟議（りんぎ）書を書いたり、調整したりということに体が拒否反応を示すから。10年以上もよく会社に勤めていたなあ、と。

もともと僕は、米CNNの番組を配信していた日本ケーブルテレビジョン（テレビ朝日グループ）の社員でした。

初めのうちは映像制作を目指していましたが、事業の立ち上げの方が向いていたんでしょうね。入社3年目ぐらいで、社内新規事業に手を挙げて、スカイポートセンターという衛星を活用したアナログの番組供給サービスの立ち上げに加わりました。

この時は借りていた衛星が宇宙で故障して事業継続が不可能になりました。でも、こっちは失敗したとは思っていないから、「じゃあ、もう一度」と、同じようなビジネスを立ち上げる会社をつくりました。

この会社はそこそこうまくいったけど、会社が満足するほどのリターンは得られなかったので、何年か続けた後で当時のディレクTV（現・スカパーJSAT）に売却されました。ある日、突然外国人が来て、「みなさん、お疲れ様でした」という世界です。本社に戻った後はノベルティグッズの管理や社員の経費精算などをしていました。

その後、メタデータの編集や配信を手掛けるプラットイーズの原型のようなアイデアを思いついたけど、サラリーマン的にはこれまでに2回失敗していますから、そこでやるのも難しく、結局、自分たちでお金を集めて起業しました。

これは体になじみましたね。人生をやり直せるのであれば、サラリーマンなんてやらずに初めから起業する。もっと言えば、大学にも行かないと思います。

隅田は全国で古民家再生などを手掛ける株式会社つぎとの取締役を務めるなど、神山の外でも活動しており、他の地域に関わることも少なくない。そんな隅田をして、神山は他の田舎とはだいぶ違うと語る。

いろんな地域を見て思うのは、移住者が地域の人ともめた時に、行政や地元のキーパーソンが、どちら側

につくかということです。

移住者の振る舞いに対して地域の人からクレームが入った場合、行政は移住者を注意すると思うんです。「ここでは、こういう決まりがありますから、それは気をつけてください」と。「郷に入りては郷に従え」という言葉にもある通り、それはそれで自然なことだと思います。

ただ神山の場合、少なくともグリーンバレーや地域の長老の方々は、移住者の側に立ってくれる。普通は移住者に対して「気をつけてよ」と言うのに、文句を言っている地元の人に対して、「彼らも頑張っているから少し見守っていきましょうよ」と言ってくれる。

ＷＥＥＫ神山をつくる時、既存の宿泊施設の一部から反対の声が上がりました。僕は客層と価格帯が違うし、宿泊施設が増えるという集積効果の方が大きいと説明しましたが、彼らからすればＷＥＥＫ神山が競合だと感じたのでしょうね。

でも、大南さんや多数の町民の方々は「町に必要な施設だ」と計画をサポートしてくれました。

えんがわオフィスが「４Ｋ映画祭」を始めた時も、反対意見が出ましたが、町役場や商工会がクレームを抑えてくれました。

いろいろな地域を見ていますが、「まずはやらせてみよう」と地域を説得してくれるところは、なかなかないと思います。

この度量の広さが、神山が移住者を惹きつける一つの要因じゃないかな。

第5章

どこにでもあった田舎が「神山」になった理由

アマゾン・ドット・コムを創業したジェフ・ベゾスは、創業間もない頃、自社の成長メカニズムをレストランの紙ナプキンに書き記した。

低コストで成立するビジネスの仕組み（Lower Cost Structure）をつくり、顧客に低価格（Lower Prices）で商品を提供する。安価な商品は顧客の満足度向上（Customer Experience）につながり、満足度の上がった顧客は繰り返しアマゾンで買うようになるため、全体の取引量（Traffic）が増大する。取引量が増えれば、マーケットプレイスで商品を売る販売会社（Sellers）が参入し、品揃え（Selection）が豊富になるため、さらに顧客満足度が高まる。

この好循環を生み出せば、慣性力によってフライホイール（弾み車）が回るように、マーケットプレイスも成長し続ける——。

ビジネスの世界で広く知られる、ベゾスの「弾み車効果」である。

アマゾンの場合、弾み車を回す最初のドライバーは、インターネットによる利便性とネットを活用した低コストの物販の仕組みだった。それが顧客満足度の向上につながり、セラーの増加やより安価な商品ラインナップにつながり、アマゾンのビジネスはより大きくなっていった。

神山で起きていることは、アマゾンの「弾み車」に似ている。

もちろん、アマゾンに比べればはるかにシンプルだが、地元の人が始めたプロジェクトによって移住者が引き寄せられ、集まった移住者同士、あるいは地元の住民と移住者との間でコミュニケーションが生まれてさらに新しいプロジェクトが始まり、それがさらなる移住者を呼び寄せるという循環である。

コロナ禍のため、2019年度、2020年度と続いた神山町の人口の社会増は止まっている。だが神山まるごと高専というビッグプロジェクトの影響もあり、神山では再び移住者の流入が始まるだろう。神山の弾み車は、今後、さらに勢いよく回っていくはずだ。

これまで本書では、2023年4月に開校した神山まるごと高専を皮切りに、神山で新しいプロジェクトが立ち上がる背景や神山で起きている官と民の新しい連携、そして神山を神山たらしめている多様な移住者と、その生き方や働き方、価値観について論じてきた。

終章である本章では、神山の歴史をひもときつつ、神山で起きていることの本質について考えていこうと思う。

グリーンバレーのおもしろがるセンス

今でこそ安定的に回っている神山の弾み車も、最初からうまく回っていたわけではない。だが、繰り返し力を与えたことで、神山まるごと高専が誕生するほどの力を得るまでになっている。

この弾み車に最初の力を加えたのは、大南をはじめとした、後のグリーンバレーのメンバーである。

神山を盛り上げているのはグリーンバレーだけでない。それぞれの地域にはまちづくりに取り組む様々な組織や団体がある。ただ、こと「移住」という観点で言えば、グリーンバレーの果たした役割は大きい。

彼らの最初のプロジェクトは「人形の里帰り」だった。

1990年4月。神山にある神領小学校のPTAの役員を務めていた大南は、学校の廊下に飾ってある人形に目が留まった。青い目をした女の子の人形で、収められている木箱には、「平和の使者 米国御人形函 昭和弐年参月廿弐日」とある。

そういえば、小学校の頃、神領小に珍しい人形があると聞いたことがあった。

「ひょっとしてこれか?」

大南は、目の前の人形に妙に惹きつけられた。

世界の経済情勢が刻一刻と悪化した1920年代後半、対日感情が悪化した米国で、日本人移民の排斥運動が起きた。その状況に心を痛めた親日家の宣教師、シドニー・ギューリックが人形を介した交流を提唱。その呼びかけによって、1万2739体もの人形が日本の小学校や幼稚園に寄贈された。

これが、「青い目の人形」である。徳島県にも152体の人形が贈られた。

ところが、太平洋戦争が始まると人形は鬼畜米英の象徴として破壊されてしまう。その中で神領小の人形は奇跡的に難を逃れた。「人形に罪はない」と一人の女性教諭が人形を物置に隠したからだ。そして戦争は終わり、物置から出された人形は、いつの日か学校の廊下に飾られるようになった。

興味を持った大南が人形を詳しく調べると、人形はパスポートを持っていた。そのパスポートには、アリス・ジョンストンという名前が刻まれていた。人形が寄贈された1927年から既に60年以上が経っているが、子どもの時に送ったのであれば、送り主はまだ生きているかもしれない。

時代に翻弄(ほんろう)された人形がここにあるのも何かの縁。そう思った大南は送り主を探すことにした。

「単純に、送り主が見つかればおもしろそうやなというぐらいの感覚です。ただ、何が出てくるか分からんけど、何か新しいものが開いていく可能性はあると思っていました」

大南はパスポートに書かれていた出身地、ペンシルベニア州ウィルキンスバーグ市の市長に手紙を書き、調査を依頼した。すると半年後、「アリス」の送り主はウィルキンスバーグ市に住んでいたアリス・ジョンストンだということが判明した。彼女は既に亡くなっていたが、親戚がまだ生きていることも分かった。


この子を里帰りさせたらおもしろい――。

そう思った大南は、同じPTAの役員だった岩丸潔と佐藤英雄に相談した。岩丸は大南よりも5学年、佐藤も1学年上だったが、同じ年頃の子どもがいた。

「母親や故郷を思わん人はおらんで、それは人形でも同じことや。ほやけん、この子を里帰りさせたらおもしろいと思うんやけど」

「おもしろそうやなあ。それ、ええんちゃう」

偶然、見つけた人形を米国に連れていくというぶっ飛んだ話だったが、興味を持った二人はすぐに同意した。家族ぐるみの付き合いだった森昌槻などを誘って「アリス里帰り推進委員会」を設立。30人の住民とともに里帰りを実現させた。1991年8月、大南が38歳の時のことだ。

このあたりの「おもしろがるセンス」が、グリーンバレーのおじさんたちの最大の魅力である。

この時、地元の小中高生を連れていったのは、子どものうちに海外を見た方が世界が広がると考えたためだ。第4章で触れた岳人の森「観月茶屋」の山田充も、この時にウィルキンスバーグを訪れている。

日米の熾烈（しれつ）な歴史を乗り越えた人形の帰還だけに、アリスの里帰りは地元、ウィルキンスバーグ市の熱烈な歓迎を受けた。

「向こうの新聞の1面に載ってな。えらい盛り上がりでした」

そう大南は振り返る。

この成功に気を良くした大南はさらなる国際交流を進めようと、1992年3月に「神山町国際交流協会」を設立、会長に就任した（2004年にNPO法人グリーンバレーに改組）。コアメンバーは大南の他に岩丸と佐藤、森である。

神山で弾み車が回り始めたきっかけ

人形の里帰りから始まった仲間とのまちづくり。次に取り組んだのはＡＬＴ（Assistant Language Teacher）の受け入れだった。

ＡＬＴとは、小中学校で英語を教える日本語教師をサポートする外国語指導助手のこと。児童や生徒の発音や国際理解の向上を目的に、各教育委員会から学校に配属されている。配属前には研修を受ける必要があり、その研修先として神山町国際交流協会が手を挙げた。

「僕らがおもしろがっていたというのもあるけど、初めは子どもたちのためにやっていた。神山は田舎なもんで、なかなか外国人と触れ合う機会がない。ＡＬＴを受け入れれば、子どもらにもいい経験になると思ってな」

岩丸はそう語る。

国際交流が活動の主目的というだけあって、宿泊は町民の自宅に泊まる民泊スタイルを取った。国際交流協会のメンバーは民泊先の確保に奔走することになったが、そのアットホームなもてなしはＡＬＴの高い評価を受けた。以来、ＡＬＴの受け入れは２００７年まで続いた。

「大南さんや岩丸さんと名簿を見ては、ステイ先を絞り込んでな。二人一組でステイ先に送れば40人で20カ所。地域も分散させてな。大変やったで」

佐藤は目を細める。

もっとも、この時点ではあくまでも単発のプロジェクトであり、後の移住者が移住者を呼ぶような弾み車効果は起きていない。

弾み車が回り始めるきっかけとなったのは、１９９９年に始めた「神山アーティスト・イン・レジデンス（ＫＡＩＲ）」だ。神山町に国内外のアーティストを招聘（しょうへい）し、滞在期間中に作品を制作してもらうという活動である。

ＫＡＩＲが生まれたきっかけは、１９９７年に徳島県が打ち出した「とくしま国際文化村構想」だった。神山町を中心に国際文化村をつくるという構想だが、地元の大南たちには寝耳に水で、全く知らないところで始まったものである。

この時に、構想に反対するか様子を見るという対応も考えられたが、大南たちは、逆に自分たちから具体的な構想を県に提案していくことにした。

仮に県のプロジェクトで国際文化村ができたとしても、10年後、20年後を考えれば、地域の人間が管理や運営を手掛けるようになる。その時にお仕着せのプロジェクトを与えられてもうまくいくはずがない。それならば自分たちで構想を練り、自分たちがやりたいと思うプロジェクトを提案していこう――。そう考えたのだ。

多くの住民を巻き込むために、神山に「国際文化村委員会」を組織し、議論の末に、二つのプロジェクトを始めた。その一つがＫＡＩＲである。

「一般的なアーティスト・イン・レジデンスについてはよく知らなかったけど、作家と呼ばれる人がどういうふうに絵を描き、モノをつくるのか。その過程に興味があった。それに、いざ絵を見に行こうと思えば、神戸や大阪にわざわざ行かなアカンでしょ。それが神山にあれば町の人にとってもいいかな、と」

発案者の森は言う。

アーティストを呼べば済むという気軽さに加えて、町民が制作を支援し、その結果として町に作品が残るというプロセスは国際交流を重視する神山にふさわしい。小学校の空き教室をアトリエに、国内外のアーティストが町の中で創作活動するというプロジェクトを始めた。

同時期に始めたもう一つのプロジェクトは沿道の住民が区間を決めて道路を清掃する「アドプト・プログラム」である（31ページ参照）。

一般的なアーティスト・イン・レジデンスは日本各地で開催されているが、神山らしいと感じるのは、アーティストの募集や選考をグリーンバレーが直接やっているところだ。

コロナ禍などの例外もあるが、ＫＡＩＲは１９９９年以降、毎年、海外２人、国内１人の計３人のアーティストを招聘している。毎回、定員をはるかに上回る応募者があるが、町の人で構成される「選考委員会」で３人に絞り込む。

身の丈に合った活動だという点も、神山の特徴だ。

一般的なアーティスト・イン・レジデンスでは評価の定まったアーティストを呼び、その作品を観光資源にする。ところが神山の場合は、作品よりもアーティストの滞在に重きを置く。作品というハードだけでなく、アーティストと地元住民の交流や、創作活動を通してアーティストと住民が成長していくことを重視している。

それゆえに、住民は全力でアーティストの世話を焼く。コロナ禍や町民の高齢化で体制は変わりつつあるが、KAIRではアーティスト一人につき数人のサポート役がつく。サポート役は父親役と母親役に分かれており、父親役は材木や石など作品づくりに必要な材料の調達や地権者交渉など制作面を、母親役は生活に関わる様々なことを支援する。

KAIRのスタイルは、一般的なアーティスト・イン・レジデンスと比べるとかなり異質だが、住民や地域との交流の比重が高いため、滞在期間が終わる頃になると、アーティストは自然と神山のファンになっていく。結果、KAIRが終わった後も定期的に神山に遊びに来たり、移住したりするアーティストが現れるようになった。

KAIRをきっかけにした移住者が、第4章で触れた阿部さやかとCOCO歯科の手島恭子である。

KAIRは神山の森づくりにもつながった。

そもそもの発端は、初期のアーティストが大粟山に勝手に作品をつくり始めたことだ。大粟山は神山の里山的な存在とはいうものの、複数の地主がいる私有地で、断りなく手を入れることはできない。ただこの時は作品が完成していたこともあり、大南が地権者に頭を下げることでとりあえず収めた。

ところが、翌年も別のアーティストが大粟山に作品を制作したため、山を自由に使わせてもらうよう初めから地権者に話を通しておいた。そのお礼として、有志のボランティアが大粟山の間伐や枝打ち、下草刈りなど山の手入れをすることになったのだ。その延長線上にあるのが、移住者のチャンが関わった「粟生の森づくり」である。

サテライトオフィスの〝生みの親〟

徐々に回り始める弾み車——。次のドライバーは、神山ワーク・イン・レジデンスだった。

地デジ移行に伴うテレビの難視聴対策として、神山町はケーブルテレビ兼用の光ファイバー網を整備し、希望する全戸に回線を敷設した。主導したのは、神山町役場の総務課で担当だった杼谷(とちたに)学である。

その結果、神山のＩＴ環境は劇的に向上した。動画のようなリッチコンテンツをストレスなく見ることのできるインフラが整ったのだ。サテライトオフィスの関係者が「ガラガラの高速道路」と称したＩＴ環境である。このＩＴ環境を活用して、新しい情報発信の取り組みを進めようと考えた大南は、神山の情報を発信するウェブサイトをつくることにした。

その時に声がかかったのが後の神山創生戦略の策定で重要な役割を担う西村佳哲と、映像作家のトム・ヴィンセントである。

グリーンバレーのウェブサイト「イン神山」のコンセプトやコンテンツを詰めていく中で、アーティスト・イン・レジデンスと同様に、リノベーションした古民家で若者が滞在して働くというワーク・イン・レジデンスのコンセプトが生まれた。

この流れで誕生したのが、映像作家の長岡マイルが暮らしたトム・ヴィンセントの「ブルーベアオフィス神山」であり、今はなき「薪(まき)パン」であり、齊藤郁子と長谷川浩代のビストロ「カフェ・オニヴァ」である。

グリーンバレーでは移住者支援を事業として始めようとしていたため、この流れはグリーンバレーにとっても願ったり叶ったりだった。

KAIRを始めるまで、神山には移住者がほとんどいなかった。だがKAIRをきっかけに、移住を希望するアーティストの声がぽつりぽつりと出始めた。その声に応えているうちに、古民家を所有する住民との交渉など、移住支援のノウハウがグリーンバレーに蓄積され始めた。

しかも、その少し前に徳島県が県内8カ所に移住交流支援センターを置くという話が浮上し、その1カ所に神山が選ばれた。他の7カ所は、市役所や町役場の中に設置される予定だったが、神山はグリーンバレーに移住支援のノウハウがあるため、グリーンバレーに運営を任せる方向で話が進んでいた。

移住支援を組み合わせれば、ワーク・イン・レジデンスを実現させるのも、それほど難しくない。その際、会社員やリタイア組ではなく、職人をターゲットにしたことがポイントだった。

職人を移住者として誘致した

神山には仕事がないため、仕事を持っている職人に古民家を貸せば一石二鳥だ。若い人が来れば子どもも増える。櫛(くし)の歯が欠けている商店街に、町に必要なお店がピンポイントでできれば、住民にとってもうれしい話だろう。そのために、移住者を選別する逆指名制度を採った。

子どもの数が減っている神山にとって、会社をリタイアしたような中高年に移住されてもあまりうれしくない。それよりも、子育て世代や子どもを持つ意思のある若いカップルが来る方が神山にとってはプラスになる。

もちろん移住者を選別することには疑問の声も出た。だが大南は、選ぶべきだと主張した。移住者の受け入れは、地域に花嫁や花婿を迎え入れるのと同じこと。それを抽選で決める人はどこにもいないはずだ。それに、移住者の受け入れは地域にもストレスになる。だからこそ地域が納得できる人を迎え入れるべきだ、と訴えたのだ。

公正と平等を旨とする役所主導の移住者支援であれば、とてもここまで踏み込むことはできなかっただろう。

この頃、大南は講演などで「創造的過疎」という言葉をよく使っていた。過疎地における人口減少は避けることができない。その事実は所与のものとして受け入れた上で、持続可能な地域をつくるために人口構成を積極的に変化させていく。それが、創造的過疎の意味するところだ。

大南は徳島大学の教授に依頼して2035年の神山町の人口推計を試算した。結果、推計人口は3065人。そのうち年少人口を小学校の1クラスに換算すると、当時の30人弱から12・5人まで減少することが分かった。1学年1クラス20人の単式学級を維持しようと思えば、親二人、子二人の家族を毎年5世帯ずつ受け入れる必要がある。

この目標を実現可能と見た大南は、それ以来、年5世帯の移住をグリーンバレーの数値目標に置いた。この単式学級の維持という目標は、2015年に策定した神山創生戦略（第1期）にも引き継がれている。

神山創生戦略では、「神山の将来世代が基本的な生活基盤においても、子どもたちの教育環境においても、環境保全の観点から見ても、『神山らしさ』を享受しながらすこやかに暮らし続けるには、3000人以上の人口規模が必要」と定義づけている。

そのため、2060年時点で3000人を下回らない人口を維持すると同時に、小中学校のそれぞれの学級が20人以上を保つという数値目標を立てた。もっとも期間を2060年に引き延ばすと、それまでのペースでは間に合わないため、必要とする移住者の数は子どもを含む年44人と倍以上になった。逆に言えば、この数字を実現してようやく、2060年に人口3000人を上回る水準を維持できるという話である。

移住者が増えている神山でもこの状況ということを鑑みれば、他の過疎地が置かれている状況はさらに厳しい。

おじさんたちの葛藤

神山ワーク・イン・レジデンスは、神山の弾み車を回す大きな力になった。神山ワーク・イン・レジデンスを始めた後、グリーンバレーは手に職を持つ若者を商店街に呼び込もうとした。ところが、その前にSansanの寺田との間で神山ラボの話が浮上。都会の企業によるサテライトオフィスのニーズに気づいた。

サテライトオフィスの誘致を始めたところ、新しい働き方を模索していた企業に刺さり、オフィスを希望する企業が出始めた。それがメディアに取り上げられると、神山に注目する人が増加。東日本大震災を契機とした地方移住ニーズの増加もあり、神山に移住する人が増え始めた。

ここにきて、ようやく神山の弾み車は勢いよく回転したのである。

その後の展開は本書で書いてきた通りだ。神山町がまちづくりの輪に加わったことでプロジェクトはより大きくなり、プロジェクトが移住者を呼び、その移住者がプロジェクトを立ち上げるという好循環が生まれている。

グリーンバレーのメンバーによる30年にわたる活動は、神山の雰囲気を変えた。

「神山はいい意味で放っておいてくれるんですよね。もちろん、見られている感はあるし、しがらみのようなものもあるけど、ほどよい距離感で私にはちょうどいい」

神山で農林漁家民宿「moja house」を経営する北山歩美（もじゃ）の言葉が典型的だが、神山で暮らす移住者に話を聞くと、人間関係が濃密な田舎の中にあって、神山は都会に慣れた人にとってちょうどいい距離感だという声が少なくない。

その背景にあるのは、恐らく異質なものに対する「慣れ」だ。

ＡＬＴの受け入れを始めた１９９３年以降、神山の人々は毎年のように外国人と接してきた。その後に始まったＫＡＩＲも、異質なものに対する耐性強化に一役買ったのは間違いない。なにせＫＡＩＲで神山に来るのは、外国人の中でも特に個性的なアーティストという人種なのだから。

「子どもの頃から神山には普通に外国人がいました。友達の家にホームステイしている外国人と阿波踊りを踊ったり。それが普通ではないと分かったのは、神山を出てからです」

神山にＵターンして美容室「Garden of the Forest」を開いた阿部晃幸はそう語る。

地域住民にしてみれば、大南たちが活動を始めてからというもの、「よく分からない人がいる」という状況が常に続いている。その慣れに伴ういい意味での無関心が、移住者との距離感に表れている。

もちろん、地域の人も相手を見ており、無条件に移住者を受け入れているわけではない。

「また、何かしよる」と移住者に対して良く思わない人もいる。ただ全体で見れば、地域の人々は移住者を地域に必要な人と認め、サポートしている。

なぜ大南たちは30年以上にわたってまちづくりの活動を続けてきたのか。

「自分らが楽しいと思うことをしてきただけや。そのノリは今も変わらんな」と岩丸が言うように、「自分たちが楽しいから」というのが一番の理由だろう。ただ、神山に対する愛着も当然ある。

大南が神山を強く意識するようになったのは、高校時代である。多くの場合、神山の子どもは中学を卒業すると、徳島市内の高校に進学していく。県立城北高校に進んだ大南も、徳島市内で下宿生活を送った。その下宿先で、大南は思わぬ言葉を耳にする。

下宿初日、大家の隣に住む女性が大南に話しかけた。

「あんた、どこから来たん？」

「神山の神領です」

そう答えると、その女性はこう漏らした。

「山やな」

大南は生まれ育った神山に誇りを持っていたが、都会の人間から見れば、神山は遠く離れた山の中の町に過ぎない。その女性は何の悪意もなかったと思うが、「山」とひと括りにされたことに大南はショックを受けた。

もう一つは、会社経営を通して感じたジレンマである。

米留学から帰って家業を継いだ大南は、大南組を県内で最も技術力のある会社にしようと仕事に没頭した。丁寧な工事は県の評価も高く、その後の大南組は県知事表彰の常連になった。1980年代前半から後半、大南が20代後半から30代半ばにかけての話である。

町の整備に関わる充実感もあった。1980年代を通して、神山では住民による道路整備の陳情が相次いだ。鮎喰川の谷間に開けた場所だけに、神山では急峻(きゅうしゅん)な斜面に張り付くように立つ家が多い。こういった集落の住民が行政に道路整備を陳情したのだ。

その後、整備計画がつくられ、大南組など地元の土木業者が道路改良工事を手掛けた。「これで生活がしやすくなった」と喜ぶ住民の声に、大南も誇らしい気分になった。

ところが、道路が整備されると、集落の住民はどんどん転居していった。

住民のためを思って一生懸命仕事をしても、便利になれば住民が町を出て行ってしまう現実――。過疎を助長する自分に、空(むな)しさを覚えた。

公共事業ではなく、別のことに軸足を置かないと神山がダメになる。もっとワクワクするような地域にしなければ、人の流出は止まらない。

そう思っていた時に、「アリス」に出会う。そして、大南はまちづくりにのめり込んでいった。

「それからは非営利の活動一筋。会社経営にはあまり力を入れなかったな（笑）」

老いと闘うグリーンバレー

グリーンバレーに特別な感情を込めているのは大南だけではない。

キャンプ場「コットンフィールド」を運営する森は、今のキャンプ場の土地を取得した時、老人福祉施設をつくるつもりでいた。予定地は温泉が近く、東向きで日あたりがいい。建設や運営に補助が出るため、ビジネスとしても悪くない。そう考えたからだが、大南や地元の青年団と関わる中で考えを変える。

確かに老人福祉施設の方が儲かるには違いない。だが高齢化が進む神山にとって重要なのは、お年寄りではなく若い人が増えること。ならば、地元にプラスになることをしたいと思った。

「やっぱり年寄りがようけおるよりも、若い人がおる方が地域も元気になるわね。特にキャンプ場に興味があったわけではなかったんやけど、オートキャンプ場なら若者も来るだろうって。私らの子どもの時の遊び自体がキャンプやけんね。何の抵抗もないよね」

佐藤にしてもそうだ。

佐藤が経営する佐藤金物店は、ガスや建材、水回りの工事などを幅広く手掛けており、神山に多くの顧客を抱えている。それゆえに高齢化が進む町の様子は手に取るように分かる。

プロパンガスの配送で各戸を訪ねても、顧客は高齢者ばかり。子どもは都会に出ており、顔を見ることもない。

「人口の自然減と電化が進む中でもプロパンガスのお客さんはほとんど減ってないけどな、90代、80代の方が亡くなって70代、60代が家を継いでいるのが現状。この世代は神山に住んでおらず、家を貸すことにも抵抗がないから、空き家はもう少し出てくると思うけどな。そりゃ人口が減る方が早いわ」

岩丸が背負っているものも軽くはない。

グリーンバレーの広告塔を務める大南に対して、岩丸は佐藤とともに神山における移住者の生活支援や古民家の紹介を引き受けてきた。最近でこそ大病を患ったこともあり、昔ほどではないが、10年前の神山塾生や移住者に対する献身的なサポートは「お接待」にも近いものがあった。

この間も、「もうすぐ東京の大学生がホームステイに来るわ」と話していたが、今も切れずに誰かが岩丸邸に滞在している。

岩丸は神山塾の創設以来、ホストファミリーとして塾生を家に泊めてきた。しかも、塾生や移住者の孤立を防ぐため、当時は毎晩のように塾生や移住者を呼び、世間話に花を咲かせていた。

そうまでして他人の面倒を見るのは生来の世話焼きということもあるが、それ以上に妻を亡くしたことが大きい。それも二度も。

「二人も看取(みと)るのは、そりゃ悲しいで。その意味でも若い子がそばにいてくれるのは本当に助かる。夜に一人で飲むのはやっぱり寂しいからな」

実際、若い子がいたことで岩丸は命を救われた。

今から5年ほど前、朝になっても下りてこない岩丸を不審に思った滞在中の若者が呼びに行くと、倒れている岩丸がいた。そのまま10日間、意識不明の状況が続いたという。多発性骨髄腫だった。幸い、抗がん剤による治療がうまくいき、普段の生活を取り戻しているが、再発リスクと隣り合わせである。

子どもは既に独立しており、岩丸は一人暮らし。男やもめの岩丸にとって、塾生や移住者との日常は心の空白を埋める作業でもある。

コットンフィールドの森も喉頭がんで声帯を切除した。幸いなことに転移はなく、発声器を喉に当てれば日常会話は不自由なくできるまでに回復した。森の場合、訓練して食道発声も身につけたため、短い会話であれば発声器も不要だ。ただ、70歳も近くなっての大病である。今は普通に動き回っているが、いつまでも昔の森ではない。


このように、グリーンバレーの創業メンバーは、それぞれが老いと闘っている。それでも移住者の世話にアーティストの支援にと、グリーンバレーの活動を楽しんでいる。

「みんなで神山のワクワクを探してきた感じやな。昔から成長していないトム・ソーヤーやハックルベリー・フィンばかりがいるみたいな。年を重ねても、おもしろいことに敏感に反応する仲間がずっとおったことは大きいな」

そう大南は振り返る。そして、大南たちが30年以上もまちづくりを続けているもう一つの原動力は、彼らが若い時に体験した窮屈な想いだ。

窮屈な田舎の枠を取っ払った先駆者

米スタンフォード大学大学院を修了した後、大南は父親との約束を守って家業を継いだ。ただ、そうは言っても神山は山の中の閉じたコミュニティである。20代後半の大南はしがらみや人間関係など自分を縛る「枠」の存在を窮屈に感じていた。

「カリフォルニアは、20代の僕にとってもう天国でした。天気はいいし自由だし。でも神山に戻ってくると、田舎の枠がビシッとあるわけ。それがものすごく窮屈でな」

その枠を取っ払おうと若き日の大南はもがいた。何をしたかといえば、神山の常識で「変わっている」と思われることをし続けたのである。

例えば、ゴルフだ。神山の周辺には、車で20分～30分のところにゴルフ場がいくつかある。だが、近場のゴルフ場には行かず、あえて長めの休みを取り、佐藤など友人を誘ってカリフォルニアのゴルフ場に旅行に出かけた。

周囲の人間にすれば、近くにゴルフ場があるのにわざわざ米国まで行くのは馬鹿げている。

実際、「ゴルフ旅行で米国に行く」と言うと、「あいつら、アホちゃうか?」という反応ばかりだった。

ただ、そんな馬鹿げた行為を繰り返していくと、いつしかそれが当たり前になる。大南が定期的にカリフォルニアに戻りたかったというのも理由の一つだが、自分たちの活動の自由を広げるために意図的に行ったのだ。

「アホも繰り返せば人格を得るんやな」

大南は笑う。

その後、「アリス」の里帰りやALTの受け入れなど、「変わったこと」を繰り返した結果、窮屈に感じていた神山でも手を広げ、足を伸ばし、自由に動ける余白が生まれていった。その余白が、田舎暮らしを求めた都会の人間にとって心地いい空間になったのだ。

ここで言う余白とは、神山に何となく漂うオープンでリベラルな雰囲気であり、適度に放っておいてくれる距離感であり、チャレンジを後押しするような空気感である。

すべて、大南たちが若い頃に求めていたものだ。

「僕や僕の仲間が我慢をせんかったということやね。自分の好きな町を少しでも心地いい場所にしようと、自分たちが動ける余白を少しずつ広げた。それが移住者にとってちょうどいい距離感だったというふうに僕は捉えています」

神山に学ぶ「多様性」と「偶発性」

ここまでが神山の歴史であり神山で起きてきたことだが、この神山のまちづくりには果たして再現性があるのだろうか。

地域が置かれている環境や地理的状況、そこに住んでいる人々の暮らしや仕事は地域ごとに異なるため、同じやり方がどこにでも通用するとは思わない。だが神山から抽出できる方法論があるとすれば、「多様性」と「偶発性」だと感じている。

本書で折に触れて書いているように、神山のまちづくりの本質は、多様なバックボーンを持った住民が勝手に何かを始めるところにある。

誰が何を始めるのかは分からないが、おもしろい人や変わった人が集まり、一定の閾値(しきいち)を超えれば何かが始まる。

そんな仮説の下、ＫＡＩＲやサテライトオフィスを始めた結果、移住者や地元の住民が交わり、実際に新しいプロジェクトが次々に生まれた。

ここで重要なのは、「おもしろい人が集まれば何かが生まれるはずだ」という確信をグリーンバレーが持っていたという点だ。

今の日本社会は、目標や計画を立て、その目標や計画を最短距離で実現することを重視している。もちろん、そういう進め方は効率的で、計画通りに進めば言うことはない。ただ、真のイノベーションは、計画ではなく、それを超えたところでしか生まれない。

これは人生も同じだ。

無駄だと思えるようなことであっても、その経験が、後で大きな意味を持つということは、人生ではよくある。遠回りや無駄なことの積み重ねが、その人自身に深みを与えるということも、往々にしてある。

私自身の人生を振り返っても、自分が思い描いた通りに物事が運んだことはあまりない。仮に思った通りになったとしても、自分の想像の範囲内でしかないので、きっとおもしろくもなかっただろう。

それよりも、目の前の出会いを大切に、そこからどちらの方向に進むのか、その偶然を楽しむ方がはるかにワクワクする。実際、会社員を辞めて、日々、目の前に現れる選択肢を選び、楽しみながらやるべきことを繰り返してきたというのが、独立後の私の数年間である。

事前に結果が見えないのは、恐怖以外の何物でもない。

だがその恐怖を楽しみ、そこから生まれてくる想定外を楽しむ――。

この意識を神山のみんなが共有しているのは、若い頃にシリコンバレーの空気を吸った大南の影響が大きい。

シリコンバレーの本質は、異なる背景を持つ人々が集まり、多様性の中で新しいものを生み出していくというエコシステムにある。

「多様性こそがイノベーションを生み出す」という考え方は、今でこそ広く知られているが、それを理解した上で、まちづくりを進めていたところに神山の先進性がある。

「シリコンバレーについての僕のイメージは、与えられた条件の下、いろいろな組み合わせで新しいものを生み出すということ。いろいろな人が集まれば、その組み合わせの中で何かが生まれるということは意識していました」

そう大南は語る。

グリーンバレーが「モノ」ではなく「ヒト」に焦点を当ててきたのもそのためだ。

「アリス」の里帰りやALTの主目的は、町の人と町外の人との交流。KAIRで重きを置いたのはアーティストとの交流であり、サテライトオフィスで大切にしたのは都会の若いエンジニアとの交流である。

アート作品というハードや一過性のイベントではなく、「人と人とのつながり」、今で言う「関係人口」を初めから重視していた。

こういったグリーンバレーの感覚は、時間をかけて地元の住民や移住者に共有されている。もちろん、神山にも「神山町創生戦略・人口ビジョン」のような計画はあり、2060年に3000人の人口を維持するという目標を掲げている。そのために、町として重点的に取り組む分野も決めている。

ただ、方針を決めて予算をつければ物事はある程度は進むが、それが持続可能なものに発展していくかどうかはプロジェクトを担う人の熱量による。そう考えると、地域にできる限り人を呼び込み、豊かな人材プールをつくることが神山式地方創生の第一歩だということになる。

実は、神山と同じ方法論で地方創生を進める株式会社あわえ（徳島県美波町）のような会社もある。同社は、地方自治体向けにサテライトオフィスの誘致支援サービスを手掛けている。その狙いは、地域のダイバーシティを進めて化学反応を起こすこと。

地域が抱える課題に対して何らかの形で解決策を示せる企業をつなぎ、その企業と地域の交流を通して化学反応を期待する。交流や移住のフックはサテライトオフィス経由という単一ルートなので、神山ほどの移住者の厚みは生まれにくいが、根本的な考え方は同じだ。

地域のダイバーシティを進め、「やったらええんちゃうん？」の哲学で移住者や地元住民のチャレンジを温かく見守る。

それは、人が人を呼ぶ弾み車を回すドライバーになる。

多様性を生み出す受け入れ側の「器」

では、どのように人を呼び込むかということだが、それは地域の実情に応じて様々だろう。

スキーリゾートであればスキーがフックになるかもしれないし、重要伝統的建造物群保存地区（重伝建）に指定されるような古い町並みが残っていれば、それが素材になるかもしれない。

いずれにしても重要なのは、「来る人」や「来た人」を大切にするということに尽きる。

神山で初期の移住者だったチャンとココは、世界を放浪したヒッピーだった。オウム真理教による地下鉄サリン事件の記憶が残る中、ヒッピー然とした二人は地域にとって違和感の塊だったに違いない。それでも、大南たちはおもしろがってまちづくりの輪の中に二人を混ぜた。

その時は「おもしろい」というだけで、深い意図はなかっただろうが、結果的に二人は神山に残り、神山を知らない人々と神山をつなぐ最初の結節点になった。

「多様性の実現」と口で言うのは簡単だが、そこで問われるのは、受け入れる側の「器」である。

実のところ、グリーンバレーは空き家支援を通して移住者を選んでいるが、おもしろいと思えばどんな人でも受け入れる。そんな度量の広さが、神山の多様性をつくり上げた。

人を呼び込むだけでなく、来た人に「残ってもらう」ことも重要な論点だろう。

10年前、60代、70代で地域活性化に取り組んでいた住民も、10年経てば70代、80代になる。田舎の高齢者は元気だが、そうは言っても気力は落ちる。地方を見れば、手が打てる地域と既に手遅れで打つ手のない地域に明確に分かれているのが現実だ。

江田集落で米づくりと棚田再生に取り組むエタノホは頑張っているが、移住者が増えている神山でも山間部の集落は限界集落と化している。人口が減っていくこれからの時代、山村や離島など、条件の悪い集落から人が出て行くのはある意味で必然だ。

そもそも地域に小学校や中学校がなければ、子育て世代に来てくれと言っても無理な話だ。インフラの維持コストを考えれば、集落の手じまいを真剣に考える時に来ているのかもしれない。

その中で、来た人に残ってもらうにはどうすればいいのか。

地域の方が、もう少し都会の感覚に近づくというのが一つの方向性だろう。

神山の場合、住民が外国人などよそ者に慣れているため、移住者に対するアレルギー反応は少ない。また神山では、もじゃやOrononoの松本夫妻のように率先して町の行事に身を投じる移住者が多いが、草刈りや消防団、地域の集まりのようなお勤めについても、それほどルールにうるさくない。

「郷に入りては郷に従え」という言葉があるように、地域のルールには可能な範囲で従うべきだと私は思っている。だが、行政サービスを受けることに慣れている都会の人間にとって、地方の集落での共同作業が苦行と感じるのも事実だろう。

もちろん、「草刈りのようなルールを守らなければ集落の暮らしが成立しない」という指摘もその通りだ。移住者に過度におもねる必要はない。

ただ、親から田舎の家や畑を継いだ子や孫が都会に暮らして、家や畑を放置していることを考えれば、移住者だけにルールの遵守（じゅんしゅ）を求めるのもおかしな話ではある。神山のライトな感覚は、もっと見習ってもいいのではないか。

また、移住者の活動に対してクレームがついた時に、どちらの側に立つかという点も重要なポイントだ。

第4章でえんがわオフィスの隅田徹が語っているように、移住者と地元住民がぶつかった時、グリーンバレーや行政、地域の長は、移住者の側に立って地元を抑える。もちろん、クレームの中身にもよるが、この姿勢は移住者にとっては大きい。

かつて取材で訪れた離島で、正反対の出来事を見たことがある。

ある移住者の子どもはスケボーが趣味だったが、島は高齢者ばかりで、スケボーは危ないと難色を示した。結果、「ここはダメ」「あそこもダメ」とスケボーをできる場所がなくなり、最終的にこの移住者は島を出て行ってしまった。

この時、地域を取りまとめていた人物は地元の住民と移住者の間で板挟みになっていたが、最終的に地元の住民の側につき、スケボーを禁止した。その決断はやむを得ないのかもしれないが、島にとって貴重な若年世代である。もう少し上手な対応を取れなかったのかと、今も残念な気持ちになる。

大南が見る50年後の神山

「人を大切にする」ということが大切なのは、何も地方創生の文脈だけでない。

人手不足の今、従業員が会社を選ぶ時代になった。良い会社には優れた人材が集まり、人を大切にしない会社からは次々に人が離れて、人手不足と採用コストの増加に悩まされる。

生産年齢人口がピークの時代に社会人になった私からすれば、「甘やかしすぎでは？」と感じることがないわけではないが、圧倒的に人が足りない時代に突入しているのだから、私たちが考え方を変えないことには仕方がない。

同じことは地域にも言える。

神山は既に放っておいても移住者が来るようなフェーズになっているが、閉鎖的な地域や移住者を歓迎していない地域、明文化されていない集落のルールがあり、その強制力が強いような地域は人が離れていく。

移住者に問題がある場合も少なくないので、「誰も彼も大切にしろ」という話ではないが、地域における人材の調達コストを考えれば、「いかに定着してもらうか」という視点はもっと持ってもいいはずだ。

「都会では無理だけど、田舎では同じ意思を持った人が5人もいれば町は変わる」と岩丸が語るように、本気で変えたいという人間がいれば、地域は変わる。神山が変わったように。

人口が減る中、唯一救いがあるとすれば、都会での生活から多拠点生活を選択する人が増えているという点だろう。

一人の人間が2カ所、3カ所と様々な地域に関わるようになれば、人材が絶対的に不足している地方でも多様性を確保することは可能だ。

その時に、選ばれる場所になることができるかどうか。

ワーケーションに伴う子どもの学校問題など、他の変数もあるので簡単ではないが、「移動する人々」をどう取り込み、地域に関わってもらうかも重要な論点である。

いずれにせよ、神山を見ていて思うのは、自分たちが楽しみながらまちづくりに取り組むことの重要性だ。

土壌づくりと同じで、地域を耕していく作業は時間がかかる。義務感だけで続くものではなく、それが苦行になるのであれば、無理に地方を創生する必要などない。

私たちの祖先もそうだが、日本の人口が増える中、田舎の次男、三男は耕作可能な土地を求めて山の上へと上がっていった。だが、既に日本は人口がピークアウトしており、これから本格的に人口が減っていく。しかも都市への集住が進むことを考えれば、先祖が暮らした場所という以外に、条件の悪い田舎に住み続ける理由はない。

最終的に中山間地の多くが消えていく運命にあるのだとすれば、その中でどのように選ばれる地域になるのか。

そのために、自分たちは変われるのか。

ストレスを感じてまで変わるべきなのか――。

この問いは、当事者が考えなければならないことだ。


それでは、神山の未来はどうなるのか。少なくとも大南は楽観的に見ている。

「その時点で僕はもうおらんから何とでも言えるけど、この先半世紀はなくならんのじゃないですか。町がどんな形になっているかは分からんけど、続いていく可能性は高いと思っています」

人形の里帰りから始まり、ＫＡＩＲ、神山ワーク・イン・レジデンス、サテライトオフィス、神山つなぐ公社、神山まるごと高専と、プロジェクトをつないできた神山の歴史は、大南たちが事前にデザインしたものではない。自分たちがワクワクしたいと考えて活動する中、様々な人との出会いを通して自然に形成されてきたものだ。

そんな偶然を楽しむ感覚や、変化の先にあるものを恐れない気持ちが、今の神山を形づくってきた。

本書に登場した人々は、みんなそういうマインドを持っている。

大南たちは年を取ったし、これからも年を取る。

だが、彼ら彼女らがいる限り、神山は神山として残り続けるだろう。

エピローグ

「篠原さん、神山まるごと高専の本は書かないんですか？」

「日経ビジネス」時代の後輩で、今はダイヤモンド社で書籍編集を務める日野なおみさんにそう聞かれたのは、2022年の夏前だったと記憶している。

神山まるごと高専の設置認可はまだ下りていなかったが、翌年の春に高専ができるという話は話題になっていた。地方創生で知られる神山に、起業家育成を謳う今どきのキラキラした高専ができる。その様子を描けば、きっと読者に読まれる。神山に縁のある私であれば、何か仕込んでいるに違いないと、日野さんは思ったのだろう。

だが、この段階で私は神山について何か書こうとは全く思っていなかった。

もちろん、神山まるごと高専については節目節目の会見に呼んでもらっており、日々の編集作業でお世話になっているJBpressに短い記事を寄稿していた。高専プロジェクトに関わっている知り合いもいろいろといたので、彼らが目指していること、その中で起きていることは何となく知っていた。

ただ、10年前に私が神山をテーマにした書籍を出した後も、神山のまちづくりを分析した書籍はいくつも出版されている。とりわけ城西高校神山校については、当事者の森山円香さんが書いた『まちの風景をつくる学校』（晶文社）という素敵な書籍がある。いまさら私が神山について何かを書く意味があるとは思えなかった。

単純に「時間がない」という事情もあった。私の会社、蛙（かわず）企画ではメディア向けの編集支援の他、写真集の出版プロジェクトを立ち上げており、写真集の出版作業が待ち構えている

（その時は青森の女性霊媒師「イタコ」に関する写真集を編集していた）。他にも頼まれている書籍や企画があり、神山に割くリソースがない。何より、神山は10年前に一度書いた話。私の中では終わった案件である。

そもそも私は一つのテーマを継続的に追いかけるタイプではなく、手を出すのであれば、10年前の書籍とは中身や切り口を変える必要がある。でも、同じ人間が書く以上、そんなに大きくは変わらないのではないか。

神山まるごと高専を横目に見ながら、特に何も動いていなかったのは、このようなことを考えていたからだ。

もっとも、神山の状況をアップデートぐらいはしようかなと、隅田さんや齊藤さんなど、今も神山で暮らしている移住者に連絡を取り、話を聞いた。

すると、2022年の春にみっけやねっこぼっこという新しい学校や保育施設ができたという。そういえば、神山まるごと高専の設立会見で神山に行った時に、かま屋という食堂もあった。

あらゆる原稿について言えるが、神山の話を書くのであれば、神山で起きているミクロの動きを通して描くマクロのテーマが必要になる。そのテーマがイマイチ見えないことも気乗りしない理由だったが、高専以外のプロジェクトがいくつも生まれているのなら、「なぜ神山ではプロジェクトが生まれるのか」という軸が立つかもしれない。これは、地方創生の文脈だけでなく、企業などあらゆる組織にもつながる話だ。

隅田さんによれば、新しい移住者がさらに増え、私が知っている時代とはフェーズが完全に変わっているという。

私自身、コロナ禍の2020年4月に会社を辞めて独立したばかり。自分のやりたいことやワクワクすることをしていこうと、新しい働き方や生き方を模索している段階だった。

隅田さんや齊藤さんがそうであるように、神山に移住する人は基本的に何かを始める人だということは分かっている。そういう人々の決断を描くことで、新しい働き方や生き方について、何らかの示唆を与えることもできるかもしれない。


なぜ神山では何かが生まれるのか。なぜ彼らは決断したのか——。


この二つの軸を立てれば、神山で起きている様々な動きや魅力的な住民の話が違和感なく織り込める。それができれば、神山という個別の話がより普遍的なものになる。

ようやく神山を書くことに前向きな気分になった私は、2022年9月から毎月、神山に通い始めた。

なお、ここで話しているのは「テーマの射程距離」について。原稿が長くなればなるほど、テーマの持つ射程、言い換えれば原稿の普遍性が求められる。

そんな難しいことは考えず、「おもしろいから書く」ということでもいいのだが、私はおもしろいファクトであっても、そこから導き出せる大きな話がないと書く気がしない。

もう一つ、本書を書こうと思うようになった理由がある。一度書いたことに興味がないという前の話と矛盾するが、10年前の神山を知っているということに価値があると思えるようになったのだ。

神山を取材した人は大勢いると思うが、サテライトオフィスが始まったばかりの頃と今の神山を比較して書ける人は、恐らくそれほど多くはない。本書で書いているように、私が米国に赴任していた2015年～2019年の間はすっぽり抜け落ちているが、10年前、隅田さんや齊藤さん、大南さん、寺田さんたちとえんがわオフィスで飲んだ時に、教育について熱く語る寺田さんの姿を実際に見ているというのは、一つの価値である。

10年ぶりに会ったかつての友人たちは、年相応に変わっていた。だがみんな一様に、自分の人生をワクワクする方向に切り開いている。そういった姿を描くのも、自分の役割だろうと感じた。

その後、神山まるごと高専やその他のプロジェクトを取材する中で様々な切り口が生まれたが、本書を貫く問題意識は、「なぜ神山では何かが始まるのか」であり、「なぜ彼らは決断したのか」のまま変わらなかった。

そして、神山から導き出した回答は「多様性」であり、「偶然がもたらす不確実な未来を楽しむマインド」である。

この不確実な未来を楽しむという感覚が、私もようやく少し分かるようになった。

神山に足を運んでいた10年前、グリーンバレーのおじさんや移住者の方々の生き方をうらやましく見ていたが、そういう選択は怖くてとてもできないと思う自分がいた。「篠原さん、移住するなら家探すよ」と冗談で大南さんに言われたこともあるが、その時も組織から離れて生きる姿が全く想像できなかった。

もっとも、いったん大きな組織を離れてみると、不思議なもので、偶然の出会いがもたらす想像もしない展開が楽しいと思えるようになった。

会社員を辞める前は、自分が大阪・飛田新地の古民家の写真集をつくるとは思わなかったし、テレビ東京の経済動画サービス「テレ東ＢＩＺ」でナビゲーターを務めることになるとも思わなかった。組織にいた時も楽しい経験をしたが、今の人生も間違いなく楽しい。

こういう話を書くと「選択できる人は恵まれている」と思う人もいるかもしれない。

だが、新しい選択肢は何かを選択することで生まれる。目の前に現れた小さな選択肢に対してワクワクを感じる方を選んでいけば、おのずといい方向に進んでいくものだ。

その選択を間違えたとしても、選んだ道がうまくいくようにリカバリーすればいい。少なくとも、今の私はそういうふうに考えて生きている。

最後に、本書に関わるすべての人に感謝を述べたい。特に、取材に協力してくれた神山の方々。私が書こうと思っても、神山の人たちが時間を取ってくれなければ、本書は成立しなかった。こちらの趣旨を汲み、忙しい中、協力いただいた方々には感謝の言葉もありません。本当にありがとうございました。

こうして神山の書籍を書き上げてみると、神山という素材は、自分の時間を費やしてでも書くべき価値のあるテーマだった。書籍の評価は読み手がすることだが、神山の書籍を書くことができて、本当によかったと思っている。

2023年4月28日

篠原匡

神山の見どころ

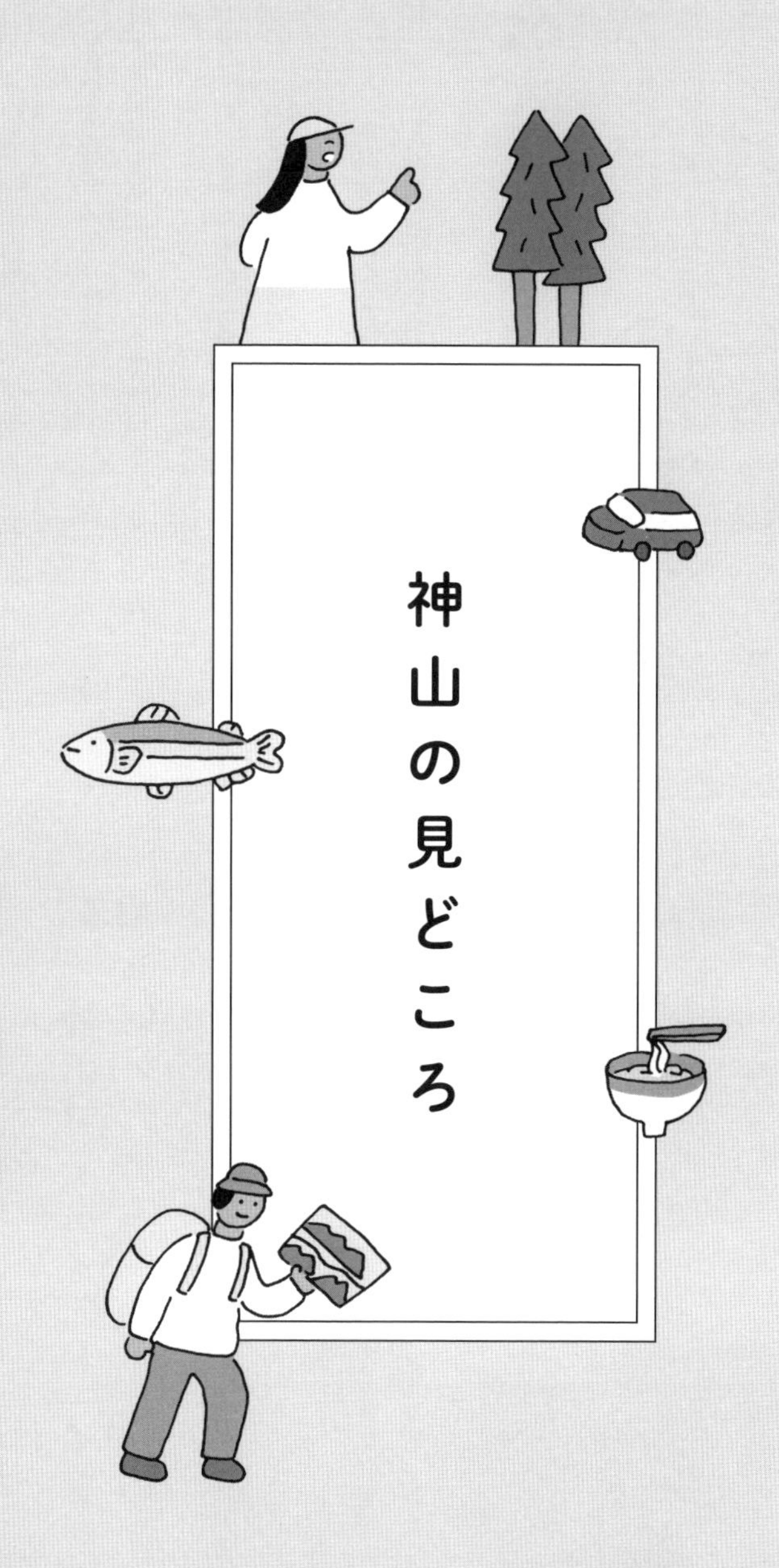

01 グリーンバレー

「日本の田舎をステキに変える!」をミッションに神山町で様々な事業を展開している認定NPO法人。神山アーティスト・イン・レジデンス（KAIR）、サテライトオフィス支援、アドプト・ア・ハイウェイ神山（清掃活動をベースとしたまち美化プログラム）、神山町移住支援センターの受託管理、コワーキングスペース「神山バレー・サテライトオフィス・コンプレックス」や、本拠地を置く「神山農村環境改善センター」の指定管理、森づくりなどの事業を展開している。

02 大粟山

神山温泉の背後に広がる里山。山肌には神山アーティスト・イン・レジデンスに参加したアーティストが残した作品が点在しており、自由に作品を見て回ることができる。木や葉っぱなど自然の素材を使った作品も多く、原形をとどめていないものも（石碑で存在を確認できる）。かつては人が入れないほど荒れていたが、グリーンバレーを中心に間伐や下草刈り、散策道の整備を進めた結果、大粟山は管理の行き届いた美しい山として生まれ変わった。

大粟山

03 神山アーティスト・イン・レジデンス

グリーンバレーが1999年に始めた国際的なアート・プロジェクト。毎年8月末からおよそ2カ月間、日本国内及び海外から数人のアーティストが神山町に滞在し、作品を制作する。住民が積極的にサポートするところが最大の特徴で、アーティストの選定の他、滞在や制作活動の支援など、様々な形で住民が関わる。大粟山や町の各所にこれまでに滞在したアーティストの残した作品が点在しており、それを回るのも神山の楽しみの一つ。

神山アーティスト・イン・レジデンスの作品

04 神山まるごと高専

2023年4月に開校した全寮制の高等専門学校（高専）。起業家育成を全面に打ち出した高専で、営業DXサービスを手がけるSansanの社長の寺田親弘が中心になって立ち上げた。日本国内における高専の新設は約20年ぶり。デザイン・エンジニアリング学科のみの単科で、ソフトウェアやAIなどの情報工学をベースに、デザインや起業家精神について学ぶ。約9倍の入試を突破した44人の1年生が机を並べており、すべての学生が揃う2027年4月には200人を超える若者が神山に集まる。

05 神山つなぐ公社

神山町とグリーンバレーが出資した第三セクターで、「まちを将来世代につなぐプロジェクト（神山町創生戦略、人口ビジョン）」の実行部隊として2016年4月に誕生。これまでに、神山町大埜地に建てられた集合住宅や、城西高校神山校の魅力向上を図る高校プロジェクト、町民を対象にした神山バスツアーなどのプロジェクトを手掛けた。住まい、人、仕事、暮らしなど様々な領域でプロジェクトを展開している。

06 かま屋、かまパン＆ストア

株式会社フードハブ・プロジェクトが運営する食堂とパン店。「地産地食」を進め、神山の農業を後世につなぐために立ち上がった。かま屋は季節の食材を使った週替わりの定食、かまパン＆ストアは「いつもの食パン」など、神山らしいパンを提供している。メニューの監修はオーガニック料理の元祖、カリフォルニアにある「Chez Panisse（シェ・パニース）」の総料理長を務めたジェローム・ワーグ。ランチが中心だが、日々、大勢の人で賑わっている。

07 岩丸百貨店

グリーンバレーのコアメンバーの一人、岩丸潔が上角商店街で営んでいる洋品店の通称。かつては町で唯一の呉服店で、最盛期は大勢の買い物客で賑わった。今は往時の賑わいは消えているる。面倒見のいい岩丸は移住者や短期滞在者を受け入れており、「神山のお父さん」と慕われている。オープンでリベラルという神山とグリーンバレーの雰囲気を体現している場所だ。ちなみに、グリーンバレーの大南信也や佐藤英雄とは神領小学校のPTA仲間。

08 コットンフィールド

大粟山の麓にあるキャンプ場。オートキャンプ場の他、バンガローや囲炉裏付きのコテージなどの宿泊施設がある。1993年のオープン以来、オーナーの森昌槻が独力でつくり上げた。山も川も温泉も楽しめるキャンプ場として多くの利用者で賑わう。森はグリーンバレーの創業メンバーで、神山アーティスト・イン・レジデンス実行委員会の初代委員長。移住者にも協力的で神山の雰囲気を体現する一人。咽頭がんで声帯を失ったが、訓練を経て再び話せるようになった。

09 岳人の森キャンプ場

人里離れた、標高約1000mの山岳地帯にある民間の植物園。約1500株のシャクナゲをはじめ、ヒメシャガやレンゲショウマ、シコクカッコソウなど約400種類の希少な高山植物が植えられている。シャクナゲの花が咲く5月には、山肌が薄桃色に染まる。大勢の観光客が訪れる神山を代表する観光地だが、もとはスギやヒノキの植林が進む中、群生地が失われることに心を痛めた山田勲がシャクナゲを植え始めたことがきっかけ。その生き様は神山の中でもリスペクトされている。

10 B&Bオニヴァ&Experience

江戸時代末期に建てられた元造り酒屋を活用した一組限定の宿。もとは「カフェ・オニヴァ」というカフェ&ビストロだったが、コロナ禍の2020年に宿に生まれ変わった。別途オーダーすれば、カフェ・オニヴァのシェフだった長谷川浩代がつくるフレンチディナーのケータリングサービスも可能。オーナーは2013年に神山に移住した齊藤郁子。パワフルな女性で、神山で最も有名な移住者の一人。B&Bの他に、森のサウナやオニヴァ農園も運営している。

11 オニヴァ 山の森のサウナ

B&Bオニヴァの齊藤郁子が仲間とつくった森のサウナ。サウナ室の中央に薪ストーブ。電気も水道もないため、そばを流れる沢の水をストーブにかけて「ロ

山の森のサウナ

ウリュ」を楽しめる。熱源は森に生えるスギで、体を冷やす水風呂は沢のたまり。敷地は山の中で、建築資材を搬入する道路もなかったため、構造材や仕上げ材は人力で運び上げた。神山には植林後、伐採されることなく放置されるスギ林がたくさんある。そんな荒廃した森を再生させる取り組みの一つ。

12 オニヴァ農園

B&Bオニヴァの齊藤郁子が持っている農場。野菜や米の栽培に加えて、「ぴーちゃん」をはじめ二十数羽のニワトリが暮らしている。B&Bオニヴァの産みたて卵はここで採れたもの。畑を耕すための馬や牛がいることも。現在、オニヴァ農園の一角にあるスギ林の再生に取り組んでおり、その一環のため、斧とチェーンソーだけで切り株基礎の小さなログハウスを建てた。人の手が入らない山は日光が当たらず、下草も生えない。そんな森の木を切り、少しずつ手を入れている。

13 えんがわオフィス

神山町の視察に訪れた人が必ずと言っていいほど立ち寄る古民家オフィス。カフェ・オニヴァの斜向かいで、寄井座の隣にある。2005年以来、空き家になっていたが、2012年12月に映像配信に関連したサポート業務を手掛けるプラットイーズが取得。古民家オフィスに改修した。壁面は全面ガラス張り。外は幅広い縁側で囲われており、地域の人々が気軽に訪れることも。この縁側は、会社のポリシーである「オープン&シームレス」を体現した存在だ。

14 WEEK神山

神山バレー・サテライトオフィス・コンプレックスの向かいにある宿泊施設。宿泊施設の少ない神山にビジネス客向けの宿泊施設をつくろうと、えんがわオフィスを開設した隅田徹が住民の出資を募って立ち上げた。鮎喰川を望む高台に立地しており、すべての部屋から鮎喰川を望むことができる。

えんがわオフィス

WEEK神山

食事は古民家をリノベーションした母屋兼レストランで。現在は神山塾3期生の神先岳史が代表を務める。常連が多く、3回以上のリピート率は50%超。

15 神山塾

地域マネジメントや人材育成などを手掛けるリレイションの祁答院弘智が始めた、職業訓練と地域人材の育成を兼ねたキャリア支援プログラム。求職者向けの職業訓練という位置づけのため、参加者は20代~30代が中心で、そのまま神山に定住した塾生OBも少なくない。

16 森の学校 みっけ

子どもの主体性を大切にした独自の自然体験学習を提供するオルタナティブスクール。机に向かって先生の話を聞くのではなく、自然の中での遊びを通して生きる力や考える力、地球と自分の関わりを学ぶところが最大の特徴。松岡美緒、上田直樹・麻衣夫妻、藤本直紀、中村奈津子の5人が2022年4月に立ち上げた。元棚田を活用したフィールドはワイルドだが、みっけの教育方針に賛同する保護者は後を絶たず、子どもを通わせるために神山に移住する保護者もいるほど。

17 お山のようちえん ねっこぼっこ

移住者の清家結生が2022年4月に立ち上げた認可外保育園。みっけと同様、子どもの自主性を重んじる教育方針で、「子どもが今したいこと」を最大限尊重する。ロケーション的にはだいぶ山で、園舎は築100年を超える古民家。裏山にある園庭は元ナンテン畑。植わっていたナンテンをすべて引っこ抜いたため園庭は穴だらけだが、清家をはじめスタッフと10人の子どもたちは転ぶことなく元気に走り回っている。

18 NPO法人 里山みらい

神山の特産であるスダチやウメの販路拡大に取り組むNPO法人。これまでに、キリンビールと組み「すだちビール」や「すだちサワー」を打ち出したり、少し傷のあるB級品を東京のシェフに使ってもらう「東京すだち遍路」を企画。ユズやカボスに比べて知名度の低いスダチの販促に努めている。スダチ生産者の高齢化が進む中、新たな担い手の育成も重要な役割。理事長の永野裕介は地域おこし協力隊として神山に来て以降、一貫してスダチの販促に関わっている。

19 神山くらしの宿 moja house

地域おこし協力隊で神山に来た「もじゃ」こと北山歩美が開いたゲストハウス。宿泊者と一緒に作る夕飯のもじゃカレーが特徴（希望者のみ）。スパイスは青年海外協力隊として赴任したバングラデシュの家庭の味。山の上の古民家でもじゃ夫妻とカレーを作るのは唯一無二の体験だ。「moja」とはベンガル語で「おいしい、楽しい」。借りた古民家はだいぶ痛んでいたが、全国から集まった全国床張り協会のボランティアが床を張ってくれたという。

20 大埜地集合住宅

神山つなぐ公社が建てた8棟20世帯の賃貸物件。神山町産スギを活用して地元の工務店が建てるなど、各所で循環を意識している。エネルギーの地産地消にも取り組んでおり、集合住宅の床暖房や給湯の熱源は、地元の森林組合がつくる木質ペレットを燃料とした木質バイオマス。敷地に植えられた植栽は造園土木科がある城西高校神山校の生徒が神山の山から採取し栽培した苗木と、徹頭徹尾、神山にこだわっている。２０１７年から２０２１年まで4年かけて建設された。

21 KAMIYAMA BEER

アイルランド出身のマヌス・スウィーニーがパートナーの阿部さやかと始めたビール醸造所。神山との出会いは、阿部が神山アーティスト・イン・レジデンスの作家として滞在した２０１３年。その後、２０１６年にオランダから神山に移住。ビールづくりが趣味だったこともあり、２０１８年に醸造所を立ち上げた。目指しているのは、地域の自然な素材で自分が飲みたいビールをつくること。コットンフィールドの横にあり、醸造所の建設では森が全面的にサポートした。

22 神山しずくプロジェクト

人工林ばかりになり、保水力が弱まった神山の森と川を守るために廣瀬圭治が始めたプロジェクト。材としての価値がなくなったスギに価値を持たせるため、地元の職人とともにスギの器などを加工、販売している。神山のスギは赤みがかっており、材としての価値はそれほど高くない。だがその特長を活かした器は美しい。廣瀬は企業向けのブランディングやウェブ制作を手掛けるキネトスコープの代表で、２０１２年にサテライトオフィスを開設したのをきっかけに神山に移住した。

23 楽音楽日

神山温泉の脇の一本道を15分ほど上がった山中にある一軒家。宮城久典・万里子の夫妻が地球に優しい循環型の生活を実践している。楽音楽日では、楽音ライブをはじめ様々なイベントが定期的に開催されており、各地の楽音ファンが足を運ぶ。シンガーソングライターとして活躍する宮城愛、宮城健太の生家。林道のような一本道の先にあり、切り返しのできるような場所もないため不安になるが大丈夫。そのまま進めば楽音楽日にたどり着く。

24 めし処 萬や山びこ

神山の寄井商店街にあるカフェ&居酒屋。神山で生まれ育った谷真宏がUターンして立ち上げたお店。神山で気軽に飲める店として、地元の人や移住者で賑わっている。移住者が盛り上がる状況に対抗すべく、美容室「Garden of the forest」の阿部晃幸、寄井商店街に住む中仙一などとともに神山を盛り上げている。定番の唐揚げの他、特産のすだちをふんだんに使った激辛メニューがオススメ。

25 ラーメン居酒屋 どちらいか

徳島のバス会社に務めていた向井徳郎が定年退職後に開いたラーメン居酒屋。メニューは向井の好きなつまみと料理が中心で、シメのラーメン鍋が定番。バングラデシュ風のスパイスが効いた「もじゃカレーラーメン」など、神山の移住者とのコラボメニューも。看板のラーメンは完全オリジナル。向井はバス運転手時代、徳島—東京間の夜行バスの担当が長く、東京を訪れてはラーメン店に通い、気に入った店の味を参考にラーメンを独自開発していた。「どちらいか」とは、徳島弁で「どういたしまして」の意味。

26 よりい家・Garden of the forest

神山にUターンで戻ってきた阿部晃幸の美容院兼バー。もとは山の上の隠れ家的なヘアサロンだったが、水が安定して出ない、送迎なしでは地域の高齢者が通

もとは山の上にあったが、今は寄井商店街に移転した

えないなどの問題があり、「山びこ」のある寄井商店街に移転した。阿部と谷は山の上の美容院で月1回のDJイベント「Sound of the Forest」を開催しており、台風14号が日本列島を襲った2022年9月18日に行われた、中仙一の誕生日&退職を祝う会は神回だった。

27 上一宮大粟神社

大粟山の山腹に鎮座している神社。大宜都比売命（おおげつひめのみこと）を主祭神として祀っている。大宜都比売命は穀物の神で、特に粟の神。徳島県の旧国名である「阿波国」の由来になったという説も。古事記によれば、天界を追放された須佐之男命（すさのおのみこと）に殺された大宜都比売命の体から、蚕や稲の穂、粟、小豆、麦、大豆が生まれたとされる。本殿に向かう苔むした石段を上がるのはなかなかハードだが、登っていると外界から神域に踏み込むような感覚に陥る。

上一宮大粟神社

28 焼山寺

高野山真言宗の寺院で、四国八十八カ所霊場第十二番札所。本尊は虚空蔵菩薩。第十一番札所の藤井寺から焼山寺に向かう遍路道は「焼山寺越え」と呼ばれるほどの高低差を誇り、順打ちの歩き遍路が最初に体験する難所として知られる。四国霊場で2番目に高い山岳札所で、剣山など眼前に広がる四国山脈の山々はまさに絶景。寄居座周辺から焼山寺行きのバスが出ており、町内でお遍路さんを見かけることも。詠歌は、「後の世を 思えば恭敬焼山寺 死出や三途の難所ありとも」。

焼山寺

29 劇場寄井座

昭和4（1929）年に建てられた神山町唯一の劇場。林業で栄えた神領村の文化的な中心地として演劇や映画、見世物などで賑わいを見せたが、林業の衰退とともに寄井座も落ち目に。昭和35（1960）年に閉鎖された。その後は縫製工場として活用されたが、縫製工場も撤退。人々の話題に上がることもなくなったが、グリーンバレーに貸与された2007年以降、アーティストの作品展示などの場として活用されている。天井一面に描かれた広告看板は見どころの一つ。

30

神山温泉ホテル四季の里&いやしの湯

慶応4（1868）年に開業した湯屋がルーツ。近隣の銅山の労働者を中心に賑わいを見せたが、銅山の衰退に伴って明治8（1875）年に廃業した。その後、一度は復活したが戦争で休止。神山温泉保養センターとして昭和47（1972）年に再開した。神山ビールやコットンフィールド、神山まるごと高専にも近く、道の駅「温泉の里神山」とともに神山観光の拠点となっている。泉質はナトリウム塩化物・炭酸水素泉。泉温は16度で冷泉に当たる。高い保湿効果が特徴だ。

神山バレー・サテライトオフィス・コンプレックス

神山にあるサテライトオフィス。元縫製工場の跡地で、中には15社がサテライトオフィスを置いている。開校前の神山まるごと高専も、ここにオフィスを置いていた。

神山メイカースペース

神山バレー・サテライトオフィス・コンプレックスの一角にあるデジタル工作工房。3Dプリンターやレーザーカッター、デジタルミシンの他、各種電動工具が揃っている。

梅星茶屋

神山温泉バス停の前にある、曜日ごとにのれんが変わるシェア食堂。大家は神山塾1期生で、地元のキーパーソンでもある粟飯原國子。元はバス停の建物だった。

佐藤金物店

グリーンバレーの創業メンバー、佐藤英雄が経営する金物店。水回りやDIY材料を扱っており、古民家改修の強い味方。また、町内のほとんどの家にプロパンガスを届けている。

COCO歯科

初期の移住者である手島恭子（ココ）が2013年に開いた山の上の歯医者。すごい立地だが、常連で賑わっている。

ソノリテ神山オフィス

NPOの運営支援を手掛けるソノリテのサテライトオフィス。2012年にサテライトオフィスを開設して以来、業容を拡大しており、最も成功している進出企業の一つ。「ブルーベアオフィス」を借りている。

道の駅　温泉の里・神山

神山にある道の駅。茅葺きの古民家を想起させる三角屋根が特徴。すだちや梅などの特産品の他、地元の農作物が並んでいる。

茶房　松葉庵

神山にあるカフェ。店内にある和食店「麟角」では、本格的な割烹料理を楽しむことができる。

粟カフェ

道の駅「神山」のそばにあるカフェ。古代米入り玄米のキーマカレーやハンバーグランチ、アボカドとすだちを使った「神山美人ケーキ」などが人気。

染昌

神山塾1期生の瀧本昌平が開いた藍染工房。藍や柿渋など天然素材で染めた作品は評価が高い。

おひーさんの農園チーノ

移住者の加藤夫妻が始めた農園。毎週月曜に自宅前で開くカレーランチには大勢の住民が集まる。神山バレー・サテライトオフィス・コンプレックスの隣にある。

豆ちよ焙煎所

寄井商店街にある小さな焙煎所。移住者の千代田孝子が立ち上げた。入れ立てのコーヒーを楽しむことができる。

おひーさんの農園チーノ

サムブック

寄井商店街にある不定期の書店。書店のない神山に書店をつくるため、移住者の駒形良介が始めた新しいプロジェクト。店舗は豆ちよ焙煎所のバックヤード。

魚屋文具店

地域おこし協力隊で神山に来た小田奈生子が元鮮魚店の店舗に開いた文具店。他に、苔庭の制作・販売を手掛ける「こんまい屋」も経営している。

サムブック

魚屋文具店

雨もりドクター秋山

建築板金兼大工の秋山真一郎が神山に移住して始めた建設会社。その勢力を伸ばしている。

リヒトリヒト

神山塾6期生の金澤光記が2015年に開いたオーダーメイドの靴店。

めん処 林商店

神山に住む林美智代が2022年11月に開いたうどん店。麺のサイズを注文した後、サイドメニューを自由に選ぶセルフスタイル。「林商店」は家業だった酒店の屋号。

リヒトリヒト

徳島県立城西高等学校神山校

神山町内にある県立農業高校。いわゆる不人気校だったが、「神山創造学」の設置や学科再編などのプロジェクトを通して、地域に根ざしたステキな学校に変わりつつある。

さくらや旅館

寄井地区にあるお遍路宿。宿泊すると、お遍路さんに出会うことも多い。

ファミリーマート徳島神山町店

神山唯一のコンビニ。ほとんどの町民がお世話になっていると思われる。店員の佐藤春名がいい味を出している。

神山スキーランドホテル

かつて神山に存在した人工スキー場。創業者は古代文明の研究者で、敷地内には「神山文字」で書かれた看板や50音表がある。現在は釣り堀。

すみはじめ住宅

神山つなぐ公社が運営している移住希望者のためのお試し住宅。現在、「西分の家」と「寄井の家と店」がある（店は豆ちよ焙煎所が入居中）。

エタノホ

神山塾OBの植田彰弘（3期生）と兼村雅彦（6期生）が立ち上げた組織。江田集落で米作りや棚田再生に取り組んでいる。

Morigchowder（モリグチャウダー）

神山でパンやクッキーなどを製造・販売している森口智美の屋号。神山移住後に夫が亡くなったが、松葉庵「麟角」の松村慶佑と再婚した。

[著者]
篠原 匡（しのはら・ただし）
作家・ジャーナリスト・編集者

1999年慶應義塾大学商学部卒業、日経BPに入社。日経ビジネス記者や日経ビジネスオンライン記者、日経ビジネスクロスメディア編集長、日経ビジネスニューヨーク支局長、日経ビジネス副編集長などを経て、2020年4月にジャーナリスト兼編集者として独立。高齢化や過疎をはじめとした日本のソーシャルイシューを題材にすることが多い。
著書に『腹八分の資本主義』（新潮新書、2009年）、『おまんのモノサシ持ちや！』（日経新聞出版、2010年）、『神山プロジェクト』（日経BP、2014年）、『ヤフーとその仲間たちのすごい研修』（日経BP、2015年）、『グローバル資本主義vsアメリカ人』（日経BP、2020年）、『House of Desires ある遊廓の記憶』（蛙企画、2021年）、『誰も断らない こちら神奈川県座間市生活援護課』（朝日新聞出版、2022年）、『TALKING TO THE DEAD』（蛙企画、2022年）などがある。

動画「ニッポン辺境ビジネス図鑑〜徳島・神山町編〜」
経済動画サービス「テレ東BIZ」内の「ニッポン辺境ビジネス図鑑〜徳島・神山町編〜」では、著者が本書で取り上げた人々に取材をした動画がご覧いただけます。本書と併せて視聴すれば、神山町に対する理解がさらに深まります。

神山
——地域再生の教科書

2023年9月5日　第1刷発行

著　者——————篠原 匡
発行所——————ダイヤモンド社
〒150-8409　東京都渋谷区神宮前6-12-17
https://www.diamond.co.jp/
電話／03･5778･7233（編集）　03･5778･7240（販売）
装丁・本文デザイン—喜來詩織［エントツ］
地図・イラスト———米村知倫
DTP——————河野真次［SCARECROW］
校正——————聚珍社
製作進行—————ダイヤモンド・グラフィック社
印刷——————勇進印刷
製本——————本間製本
編集担当—————日野なおみ

ISBN 978-4-478-11802-3